ILUSTROWANY SŁOWNIK ORTOGRAFICZNY

Aldona Kowalska

ILUSTROWANY SŁOWNIK ORTOGRAFICZNY

SZKOŁA PODSTAWOWA

Ilustracje: Filip Depa

Recenzent: prof. dr hab. Bogdan Zeler

Rymowanki ortograficzne: Aldona Kowalska, Adam Wiedemann
Projekt okładki: Studio 3 Kolory
Ilustracje na okładce: Tomasz Kopka, Filip Depa
Ilustracje w środku: Filip Depa

Redaktor prowadzący: Anna Kubalska
Redakcja merytoryczna: Aleksandra Kubiak-Sokół
Korekta: Małgorzata Małachowska, Marta Stec
DTP: Studio 3 Kolory

ISBN 978-83-8073-853-9

Wydanie I

Wydawnictwo Zielona Sowa Sp. z o.o.
00-807 Warszawa, Al. Jerozolimskie 94
tel. 22 379 85 50, fax 22 379 85 51
www.zielonasowa.pl
wydawnictwo@zielonasowa.pl

Drodzy Przyjaciele!

Kiedy nastąpi dramatyczny moment podjęcia decyzji, czy w wyrazie samoch**ó**d piszemy literę **ó** czy **u**, sięgnijcie po *Ilustrowany słownik ortograficzny.*

Słownik przeznaczony jest dla młodszych uczniów, dlatego też wierszyków i rysunków w nim co niemiara.

Wszelkie tajemnice pisowni i odmiana trudnych wyrazów zostały tak opracowane, aby każdy mógł je szybko odszukać i zapamiętać.

Po słowniczku oprowadzi Was mądra Sowa,
która zna wszystkie reguły i słowa.
Wskaże trudności wielkim paluchem
oraz wyszepta zasady suche.
Opowie wierszyk, zabawny troszkę,
aby odpędzić nauki troskę!
Posłuchaj Sowy,
otwórz słowniczek,
a w szóstkach będzie
cały dzienniczek!

Zasady pisowni

ó

- **Ó** piszemy, gdy w innych formach tego samego wyrazu lub w wyrazach pokrewnych następuje wymiana na litery: **a**, **e**, **o**, np.:
  - wymiana **ó** : **a** skr**ó**t : skr**a**cać
  - wymiana **ó** : **e** sz**ó**sty : sz**e**ść
  - wymiana **ó** : **o** pok**ó**j : pok**o**je;

- **Ó** piszemy w zakończeniach -**ów**, -**ówna**, -**ówka**, np.:
  - nazwy miejscowości zakończone na -**ów**, np.: Krak**ów**, Gorz**ów**;
  - formy liczby mnogiej rzeczowników, np.: chłopc**ów**, las**ów**, but**ów**;
  - nazwiska córek, np.: Nowak**ówna**, Bart**ówna**;
  - wyrazy zakończone na -**ówka**, np.: klas**ówk**a, leśnicz**ówka**, mak**ówka**;

WYJĄTKI:
ws**uwka**, zas**uwka**, sk**uwka**

- **Ó** piszemy na początku wyrazów: **ó**semka, **ó**smy, **ó**w, **ó**wczesny, **ó**wdzie;

- **Ó** piszemy również w wyrazach, w których nie wymienia się na **a**, **e**, **o**. Należy je zapamiętać!
  np.: ch**ó**r, jask**ó**łka, kr**ó**l, sk**ó**ra, r**ó**wno, r**ó**wnież, g**ó**ra, p**ó**źno, ż**ó**łw, c**ó**rka, pr**ó**żny.

U

- **U** piszemy na początku wyrazów, np.:
  ul, **u**waga, **u**cieczka;

UWAGA!
Istnieje grupa wyrazów, na początku których piszemy **ó**, np.:
ósmy, **ó**semka, **ó**w, **ó**wczesny, **ó**wdzie.

- Zawsze na końcu wyrazu, np.:
  do las**u**, w pol**u**, na morz**u**;

- W formach czasownika zawierającego cząstkę -**uj**-, np.:
  mal**uj**ę, ps**uj**ę, kup**uj**ę;

- W wyrazach zakończonych na -**un**, -**unek**, -**unka**, np.:
  opiek**un**, rat**unek**, opiek**unka**;

- W wyrazach zakończonych na: -**uch**, -**unio**, -**unia**, -**usia**, -**us**, -**uszek**, -**uś**, -**utki**, np.:
  leni**uch**, tat**unio**, lal**unia**, mam**usia**, autob**us**, okr**uszek**, mat**uś**, mal**utki**;

- W zakończeniach czasowników: -**uję**, -**ujesz**, -**uje**, -**ujemy**, -**ujecie**, -**ują**, -**uj**, -**ujmy**, -**ujcie**, np.:
  pras**uję**, pras**ujesz**, pras**uje**, pras**ujemy**, pras**ujecie**, pras**ują**, pras**uj**, pras**ujmy**, pras**ujcie**;

Zawsze w wyrazach: sk**uw**ka, zas**uw**ka, ws**uw**ka.

RZ

- **Rz** piszemy, gdy w innych formach tego samego wyrazu lub w wyrazach pokrewnych wymienia się na **r**, np.:
  mar**z**ec : mar**c**owy
  mo**rz**e : mo**r**ski;

WYJĄTKI:
Piszemy **rz** również w wyrazach, w których nie wymienia się na **r**, np.:
rzeczownik, twa**rz**, **rz**odkiewka, ja**rz**ębina, ja**rz**eniówka.

- **Rz** piszemy po spółgłoskach; **p**, **b**, **t**, **d**, **k**, **g**, **ch**, **j**, **w**, np.:
  p — przygoda
  b — brzeg
  t — trzewik
  d — drzwi
  k — krzew
  g — grzyb
  ch — chrzan
  j — spojrzenie
  w — wrzeciono;

- **Rz** piszemy w wyrazach zakończonych na -**arz**, -**erz**, które wymieniają się na **r**, np.:
  pis**arz** : pis**ar**ka
  koszyk**arz** : koszyk**ar**ski
  harc**erz** : harc**er**ka
  ryc**erz** : ryc**er**ski.

UWAGA!

Piszemy **rz** w zakończeniach nazw zawodów, np.: druk**arz**, piek**arz**, kolej**arz**, bibliotek**arz**.

WYJĄTKI:

- Po spółgłoskach **k**, **p**, **w** piszemy niekiedy **sz**, np.: k**sz**tałt, p**sz**enica, p**sz**czoła, P**sz**czyna, buk**sz**pan, w**sz**ystko, w**sz**ędzie, zaw**sz**e, pierw**sz**y;
- W przymiotnikach w stopniu wyższym i najwyższym piszemy **sz**, np.: lep**sz**y, grub**sz**y, najlżej**sz**y, najkrót**sz**y;
- W wyrazach obcego pochodzenia zakończonych na -**aż**, -**eż**, np.: band**aż**, stel**aż**, papi**eż**.

Ż

- **Ż** piszemy, gdy w formach tego samego wyrazu lub w wyrazach pokrewnych ulega wymianie na: **g**, **h**, **s**, **z**, **ź**, **dz**, np.:
  wymiana **ż** : **g** potężny : potęga
  wymiana **ż** : **h** drużyna : druh
  wymiana **ż** : **s** papież : papieski
  wymiana **ż** : **z** obraża : obrazić
  wymiana **ż** : **ź** grożę : groźba
  wymiana **ż** : **dz** pieniężny : pieniądz;

- **Ż** piszemy po spółgłoskach **l**, **ł**, **r**, np.:
  ulżyć, łże, oskarżenie;

UWAGA!
Istnieje grupa wyrazów zakończonych na -**że**, np.: ten**że**, skąd**że**, tak**że**, wszak**że**.

- W wyrazach obcego pochodzenia, po literze **n**, np.:
  ora**n**żada, bra**n**ża.

- Na końcu wyrazów, np.:
  garaż, bagaż.

- W wyrazach, w których **ż** nie wymienia się, np.:
  żółty, życie, pożar, mżawka, żaba, pożegnać.

- **Ż** piszemy w dwuznaku **dż** na oznaczenie jednej głoski, np.:
  droż**dż**e, **dż**d**ż**ownica, **dż**insy.

- W wyrazach zakończonych na -**aż**, -**eż**, gdy nie wymienia się na **r**, np.:
  band**aż**, młodzi**eż**, choci**aż**, mas**aż**.

CH

- **Ch** piszemy, gdy w formach tego samego wyrazu lub w wyrazach pokrewnych ulega wymianie na: **sz**, np.:
  du**ch** : du**sz**a
  su**ch**o : su**sz**a
  u**ch**o : u**sz**ko;

- **Ch** piszemy po spółgłosce **s**, np.:
  schron, **sch**yłek, u**sch**nąć, **sch**ody, **sch**ab;

- **Ch** piszemy na początku i w środku wyrazów, np.:
  chata, **ch**udy, **ch**oroba, samo**ch**ód, ws**ch**ód, za**ch**ód;

- **Ch** piszemy w zakończeniach wyrazów, np.:
  gma**ch**, stra**ch**, w grupa**ch**, na półka**ch**.

WYJĄTEK – dru**h**

- **Ch** piszemy w niektórych wyrazach obcego pochodzenia, np.: **ch**ór, **ch**arakter, e**ch**o.

H

UWAGA!
Pisownię **h** musisz często sprawdzać w słowniczku!

- **H** piszemy, gdy wymienia się na **g**, **ż**, np.:
  wa**h**ać : wa**g**a
  dru**h** : dru**ż**yna

- **H** piszemy na początku wielu wyrazów pochodzenia obcego, np.:
  hamulec, **h**erbata, **h**umor, **h**ymn, **h**erb;

- **H** piszemy również w środku niektórych wyrazów, np.:
  alko**h**ol, bo**h**ater, wa**h**adło, Pod**h**ale, bo**h**omaz.

Przeczenie NIE

- Przeczenie **NIE** piszemy **osobno** z czasownikami, np.:
  nie uważał, **nie** stał, **nie** poszedł.

WYJĄTKI:
Czasowniki, które występują tylko z cząstką **NIE**, np.:
niepokoję, niedomagam, niedowidzę, nienawidzę.

- Przeczenie **NIE** piszemy **osobno** z przymiotnikami w stopniu wyższym i najwyższym, np.:
  nie dalszy, **nie** najdalszy, **nie** lepszy, **nie** najlepszy;

- Przeczenie **NIE** piszemy **osobno** z przysłówkami w stopniu wyższym i najwyższym, np.:
  nie dalej, **nie** najdalej, **nie** lepiej, **nie** najlepiej;

- Przeczenie **NIE** piszemy **osobno** z przysłówkami, które nie zostały utworzone od przymiotników, np.:
  nie bardzo, **nie** całkiem;

UWAGA!
Piszemy łącznie: niebawem, nieraz (w znaczeniu: często), niezbyt.

- Przeczenie **NIE** piszemy **osobno** z liczebnikami i zaimkami, np.:
  nie dwa, **nie** trzy, **nie** ja, **nie** ty, **nie** mój, **nie** nasz;

WYJĄTEK: niewiele, niektórzy

- Przeczenie **NIE** piszemy **łącznie** z rzeczownikami, np.:
  nieprzyjaciel, **nie**szczęście, **nie**pokój;

- Przeczenie **NIE** piszemy **łącznie** z przymiotnikami w stopniu równym, np.:
  niewdzięczny, **nie**grzeczny, **nie**duży;

- Przeczenie **NIE** piszemy **łącznie** z przysłówkami utworzonymi od przymiotników, np.:
  niedaleko, **nie**równo, **nie**śmiało.

- Przeczenie **NIE** piszemy **łącznie** z czasownikami w formie przymiotnikowej, np.:
  niezrobiony, **nie**ugotowany, **nie**utworzony.

Spółgłoski miękkie

- Spółgłoski miękkie na końcu wyrazu oznaczamy literami:
  ń — koń
  ś — gęś
  ć — nić
  ź — więź
  dź — wyjdź;

- Litery ń, ś, ć, ź, dź piszemy przed innymi spółgłoskami, np.:
  tańczyć, śliwka, ćma, źródło, dźwig;

- Przed samogłoskami piszemy **ni**, **si**, **ci**, **zi**, **dzi**, np.:
  niebo, ko**si**arka, **ci**ocia, **zi**arno, **dzi**adek;

- Przed samogłoską **i** piszemy **n**, **s**, **c**, **z**, **dz**, np.:
  nic, sitko, cisza, zima, dzik.

Spółgłoski „kłopotliwe"

b, **d**, **g**, **w**, **z**, **ź**, **ż**, **rz**, **dz**, **dź**, **dż** – dźwięczne
p, **t**, **k**, **f**, **s**, **ś**, **sz**, **c**, **ć**, **cz** – bezdźwięczne

Pisownia spółgłosek dźwięcznych w zakończeniach oraz wewnątrz wyrazów często sprawia wielki kłopot, gdyż jest niezgodna z ich wymową. Prostym sposobem jest odszukanie wyrazów pokrewnych, w których „kłopotliwa" spółgłoska wystąpi przed samogłoską, np.:
trawka : trawa
chleb : chlebak
lub wykorzystanie odmiany rzeczownika, np.:
głóg : głogu
lód : lodu.

Ą, Ę, OM, ON, EM, EN

- **Ą** piszemy na końcu wielu form czasowników, np.: (oni) id**ą**, zrobi**ą**, pisz**ą**, kupuj**ą**, przyjd**ą**;

- **Ę** piszemy na końcu innych form czasowników, np.: (ja) id**ę**, zrobi**ę**, pisz**ę**, kupuj**ę**, przyjd**ę**;

WYJĄTEK: jem, umiem, rozumiem, śmiem

- **Ę** piszemy w zakończeniach rzeczowników rodzaju nijakiego, np.: rami**ę**, ciel**ę**, imi**ę**.

- **Ą, ę** piszemy w zakończeniach niektórych form rzeczowników rodzaju żeńskiego, np.:
  widzę (tę) książk**ę**, torebk**ę**, laurk**ę**;
  cieszę się (tą) książk**ą**, torebk**ą**, laurk**ą**;

- **Ą, ę** piszemy w zakończeniach wielu innych wyrazów, np.:
  si**ę**, ci**ę**, t**ę**, nisk**ą**, tamt**ą**, t**ą**;

UWAGA!
Piszemy **om** w zakończeniach liczby mnogiej rzeczowników, np.:
dzieci**om**, zwierzęt**om**, rzecz**om**, roślin**om**.

- **Ą, ę** piszemy w czasownikach przed spółgłoskami **l, ł**, chociaż wymawiamy je jak **o, e**, np.:
  zdj**ął**, zdj**ęły**, zdj**ęli**;

- **Ą**, **ę** piszemy, jeżeli **ą** wymienia się na **ę** lub odwrotnie, np.:
  ząb : zęby
  dąb : dęby
  ręka : rąk
  święta : świąt
  męka : mąk.

- **Om**, **on**, **em**, **en** piszemy w wyrazach pochodzenia obcego, zgodnie z wymową, np.:
  kal**en**darz, t**em**peratura, k**on**cert, k**om**puter.

Pisownia wyrazów wielką literą

- Wielką literą piszemy pierwszy wyraz w zdaniu, np.:
  Dziś są moje urodziny.
  Spotkajmy się jutro.
  Śpiewam piosenki.

- Wielką literą piszemy pierwszy wyraz w tytule książki, filmu, np.:
  „**P**anna z mokrą głową" (nie zapomnij o cudzysłowie);

- Wielką literą piszemy imiona i nazwiska ludzi, zwierząt, zabawek, roślin itp.:
  – imiona ludzi: **T**omek, **J**oanna, **A**dam, **Z**osia;
  – nazwiska: **K**owalska, **I**waszko, **K**ania;
  – imiona zabawek: **P**usia, **T**usia, **L**olek;
  – imiona zwierząt: **K**ruczek, **P**uzon, **M**ufka, **W**idłak;
  – imiona roślin: **B**artek (dąb);

- Wielką literą piszemy nazwy:
  – krajów: **P**olska, **S**łowacja, **F**rancja;
  – mieszkańców krajów: **P**olka, **S**łowaczka, **F**rancuzka;
  – kontynentów: **E**uropa, **A**zja;
  – mieszkańców kontynentów: **E**uropejczyk, **A**zjata;
  – krain geograficznych: **M**azury, **P**omorze, **Ś**ląsk;
  – mieszkańców krain geograficznych: **M**azur, **P**omorzanin, **Ś**lązak;
  – miast i wsi: **K**raków, **W**arszawa, **M**ediolan, **B**olszewo;
  – ulic: **T**atarska, **K**ościuszki, **M**iodowa;
  – rzek i jezior: **W**isła, **O**dra, **T**amiza, **Ś**niardwy, **M**orskie **O**ko;

- gór: Karpaty, Alpy, Góry Świętokrzyskie;
- urzędów, instytucji, organizacji: Urząd Miasta, Centrum Zdrowia Dziecka, Stowarzyszenie Pisarzy Polskich;
- świąt: Boże Narodzenie, Dzień Dziecka, Wielkanoc;

■ Wielkiej litery używamy w listach i przemówieniach, zwracając się do osób drugich, aby podkreślić należny im szacunek, np.:
Drodzy Przyjaciele;
Kochani Rodzice;
Kocham Cię!

Skróty

Często posługujemy się skrótami, które tworzymy w następujący sposób:

- pozostawiając początek wyrazu, odrzucamy jego koniec, np.:
  ul. (czytaj: **ulica**), **pl.** (czytaj: **plac**)
  ort. (czytaj: **ortograficzny**), **prof.** (czytaj: **profesor**)

UWAGA! Po tych skrótach stawiamy kropkę!

- pozostawiając pierwszą i ostatnią oraz jedną ze środkowych liter wyrazu, np.:
  mgr (czytaj: **magister**), **pkt** (czytaj: **punkt**)

UWAGA! Po tych skrótach nie stawiamy kropki!

- pozostawiając pierwszą i ostatnią literę wyrazu, np.:
  nr (czytaj: **numer**), **dr** (czytaj: **doktor**)

UWAGA! Po tych skrótach nie stawiamy kropki!

- Skracamy nazwy organizacji, łącząc pierwsze litery wyrazów, które je tworzą, np.:
  ZHP (czytaj: **zet-ha-pe**) — Związek Harcerstwa Polskiego

- Skracamy jednostki miar i wag, np.:
  cm (czytaj: **centymetr**), **m** (czytaj: **metr**)
  zł (czytaj: **złoty**), **gr** (czytaj: **grosz**)
  g (czytaj: **gram**), **l** (czytaj: **litr**)

UWAGA! Po tych skrótach nie stawiamy kropki!

Zasady interpunkcyjne

Kropka

- Kropkę stawiamy na końcu zdania, np.:
  Skończyłam czytać książkę.

- Kropkę stawiamy na końcu skrótu, który tworzymy z początkowej części wyrazu, np.:
  ul. Krakowska, godz. 15.00, inż. Zenon Śrubka;

- Kropkę stawiamy przy zapisywaniu dat, np.:
  10.02.2018 r.

UWAGA!
Jeżeli miesiąc oznaczamy znakami rzymskimi, to nie stawiamy kropek!
10 II 2018

Znak zapytania

- Pytajnik stawiamy na końcu zdania, w którym pytamy o kogoś, o coś, np.:
  Kto idzie w sobotę do kina?
  Przyjdziesz jutro?
  Co robisz?

Wykrzyknik

- Wykrzyknik stawiamy na końcu zdania, w którym wyrażamy polecenie, rozkaz, życzenie, wzmocnione pytanie, np.:
  Proszę wyjść!
  Zamknij okno!
  Sto lat!
  Naprawdę nie zdążyłeś?!

- Wykrzyknik stawiamy na końcu zdania, w którym wyrażamy podziw, zachwyt, radość, gniew, np.:
  Jesteś wspaniały!
  Było cudownie!
  Zdałam na piątkę!
  Byłem oburzony!

Dwukropek

- Dwukropek stawiamy, gdy przytaczamy wypowiedź cudzą lub własną, np.:
  Mówił często: „Nie znoszę różowego koloru".
  Wiele razy mu powtarzałam: „Pamiętaj o szaliku".

- Dwukropek stawiamy przy wszelkiego typu wyliczeniach, np.:
  Kupiłam w sklepie: chleb, masło, mleko, twarożek.

Średnik

- Średnik oddziela w zdaniu wypowiedzi równorzędne, np.:
  Wstawał dzień; z każdą godziną robiło się jaśniej.

Przecinek

(najczęściej używany znak interpunkcyjny)

- Przecinkiem oddzielamy dłuższe formy wypowiedzi, np.:
  Wrócił ze szkoły, zjadł obiad i zabrał się do odrabiania lekcji.

- Przecinek stawiamy w zdaniu zawierającym wyliczenia, np.:
  Miała na sobie sweter, kurtkę, czerwony beret, a na nogach granatowe kalosze.

- Przecinek stawiamy w zdaniu przed wyrazami **który** oraz wyrażeniami typu: **w których**, **po którym**, np.:
  Założyła kapelusz, **w którym** było jej do twarzy.
  Byli na zebraniu, **po którym** już wszystko się wyjaśniło.

- Przecinek stawiamy w zdaniu przed wyrazami **ale**, **lecz**, **więc**, **czyli**, **żeby**, **że**, np.:
  Było dobrze, **ale** nie wspaniale.
  Przyglądał się, **lecz** z daleka.
  Byliśmy wypoczęci, **więc** mogliśmy troszkę popracować.
  Minęła druga, **czyli** jest już po czasie.
  Za mało się znamy, **żeby** przejść na ty.
  Wiesz, **że** nikt nie śpiewa równie pięknie.

UWAGA!
Nie stawiamy przecinków przed następującymi wyrazami:
ani, albo, i, lub, oraz,
chyba że są one w zdaniu powtórzone – wówczas przed kolejnymi tymi wyrazami stawiamy przecinek.

Cudzysłów

Cudzysłowu używamy:

- podając tytuły filmów: „Król Lew", „Magiczne drzewo", „Miasto Aniołów";
- podając tytuły książek: „Dzieci z Bullerbyn", „Dziadek i niedźwiadek", „Mały Książę";
- podając tytuły tomików wierszy, utworów poetyckich: „Wszelki wypadek", „Wysokie drzewa";
- przytaczając swoją lub czyjąś wypowiedź:
  Adam powiedział: „Napisałem kolejny wiersz".
  Mówiłam do niego często: „Myj ręce przed jedzeniem".

UWAGA!
Jeżeli możemy wyróżnić tytuł np. za pomocą innej czcionki, piszemy go wtedy bez cudzysłowu!

Nawias

- Nawiasem oddzielamy w zdaniu słowa, wyrażenia, wypowiedzi wtrącone, np.:
  Czy możesz (oczywiście, jeśli masz ochotę) wypowiedzieć się?

- Wielokropek w nawiasie oznacza opuszczone fragmenty utworów literackich, np.:
  „Przyjechali o świcie, zabrali krzesła, (...) i inne sprzęty".
  „Widoczne były braki w jego wychowaniu, (...) choć starał się bardzo".

Myślnik (pauza)

- Myślnik stawiamy w zdaniu pomiędzy dwoma liczbami lub liczebnikami, np.:
  Od 6–7 lat mieszkał w tym samym domu.
  Wychodzę na dwie–trzy godziny.

- Stawiamy myślnik wtedy, gdy wtrącamy inną myśl (na jej początku i na końcu), np.:
  Jest źle wychowany, choć – szczerze mówiąc – sympatyczny.

- Za pomocą myślnika wyróżniamy wypowiedzi w dialogu, np.:
  – Tak, to ona! – rzekł zapłakany królewicz.

ZAPAMIĘTAJ!
Przed myślnikiem nie stawia się przecinka, zostawia się natomiast kropkę, pytajnik, wielokropek i wykrzyknik, np.:
– Proszę zamykać drzwi! – krzyknęła sąsiadka.

Wielokropek

- Wielokropka używamy w celu oznaczenia przerywanego toku wypowiedzi, np.:
  – Myślałem, że... – tłumaczył się nieporadnie.

Jak korzystać ze słowniczka

1. Hasła w słowniczku zostały ułożone w kolejności alfabetycznej:

   A, Ą, B, C, Ć, D, E, Ę, F, G, H, I, J, K, L, Ł, M, N, Ń, O, Ó, P, Q, R, S, Ś, T, U, W, Y, Z, Ź, Ż.

2. Ilustracje zwrócą Waszą uwagę na wyrazy, które trzeba koniecznie zapamiętać.

3. Obok niektórych haseł dla przypomnienia zostały zamieszczone reguły wyjaśniające pisownię, np.:

> Ó piszemy, gdy w innych formach tego samego wyrazu lub w wyrazach pokrewnych następuje wymiana na litery: o, a, e.

- Podpowiemy Wam, kiedy i które wyrazy piszemy wielką literą, np.:

armia
żołnierze **armii**,
dowodził **Armią** Krajową,
nieprzyjacielskie **armie**,
służył w wielu **armiach**

- Wskażemy Wam zarówno pisownię, jak i odmianę niektórych nazw krajów, miast, ich mieszkańców, np.:

  Anglia
  wyjazd do **Anglii**,
  mecz z **Anglią**,
  miła **Angielka**,
  uprzejmy **Anglik**,
  angielska mgła,
  angielskie śniadania

- Nauczymy Was tworzenia skrótów oraz ich wykorzystywania, np.:

  Al. (czytaj: **aleje**)
  mieszkam przy **Alejach** Jerozolimskich
  al. (czytaj: **aleja**)
  mieszkam przy **alei** Róż

- Hasła zostały wzbogacone o słowa, które często towarzyszą trudnym wyrazom, oraz ilustracje przypominające o trudności ortograficznej; wybrane zabawne określenia i lektura rymowanek zapewne uprzyjemnią Wam naukę ortografii, np.:

  abażur
  lampa bez **abażura** lub **abażuru**,
  wzór na **abażurze**, **abażury** papierowe,
  kilka **abażurów**

Ażurowy abażurek
jest zrobiony
z wielu dziurek.

Życząc przyjemnej lektury, mamy nadzieję, że dzięki temu słownikowi nauka ortografii stanie się prawdziwą przyjemnością!

A

abażur
lampa bez **abażura** lub **abażuru**, wzór na **abażurze**, **abażury** papierowe, kilka **abażurów**

Ażurowy abażurek
jest zrobiony
z wielu dziurek.

ach, jakie to proste!
Słyszę ciągle ochy i **achy**!

aerozol
perfumy w **aerozolu**, **aerozole** na komary

afisz
zdjąć z **afisza**, kolorowe **afisze**, rozlepianie **afiszów** lub **afiszy**

agrafka
wisiało na **agrafce**, **agrafki** z szafki, pudełka **agrafek**, spiąć **agrafkami**

aha, wreszcie to zrozumiałam!

akademia
podczas **akademii**, uroczyste **akademie**

aktualny
aktualny temat, **aktualni** właściciele, **aktualniejsze** informacje/sprawy/zagadnienia

akurat
Szeptała sowa do szczura,
a on na to: „**Akurat**!”.

akwarium
rybki w **akwarium**, olbrzymie **akwaria**, właściciel **akwariów**

Al. (czytaj: **aleje**) mieszkam przy **Alejach** Jerozolimskich

al. (czytaj: **aleja**)
mieszkam przy **alei** Róż

album
kupno **albumu**, zdjęcie w **albumie**, **albumy** rodzinne, sterta **albumów**

aleja
budynki wzdłuż **alei**, szedł **aleją**, **aleje** parku, dużo **alei** lub **alej**, drzewa w **alejach**

Ameryka

być w **Ameryce**, obie **Ameryki**, mieszkańcy **Ameryk**, młoda **Amerykanka**, miły **Amerykanin**, **amerykański** styl, **amerykańskie** miasta

Wielką literą piszemy nazwy **kontynentów** i **mieszkańców kontynentów**.

Andrzej

biurko **Andrzeja**, spotykam się z **Andrzejem**, dwaj **Andrzejowie**, kilku **Andrzejów**

andrzejki

urządzać **andrzejki**, zrezygnowaliśmy z **andrzejek**

Anglia

wyjazd do **Anglii**, mecz z **Anglią**, miła **Angielka**, uprzejmy **Anglik**, **angielska** mgła, **angielskie** śniadania

ani mru-mru, **ani** razu, **ani** rusz

anioł

podopieczny **Anioła** Stróża, mój **aniele**, przybyły **anioły**, skrzydlaci **aniołowie** lub **anieli**, skrzydła **aniołów**

anyżek

liść **anyżku**, napój z **anyżkiem**

aptekarz

dokładność **aptekarza**, rozmowa z **aptekarzem**, doświadczeni **aptekarze**, recepty dla **aptekarzy**

arbuz

kawał **arbuza**, pestki w **arbuzie**, ogromne **arbuzy**, kilka **arbuzów**

archanioł

miecz **archanioła**, pieśń o **archaniele**, mówiły **archanioły**, świetliści **archaniołowie** lub **archanieli**, trąby **archaniołów**

architekt

projekt **architekta**, pogawędka z **architektem**, **architekci** na budowie, związek **architektów**

architektura
architektura barokowa, wykład z **architektury**/ o **architekturze**

arkusz
brak **arkusza**, **arkusze** bibuły, liczba **arkuszy** papieru

armia
żołnierze **armii**, dowodził **Armią** Krajową, nieprzyjacielskie **armie**, służył w wielu **armiach**

artykuł
brak **artykułu**, zamieszczone w **artykule**, **artykuły** prasowe, autorzy **artykułów**

asfalt
walcowanie **asfaltu**, pasy na **asfalcie**

astronauta
strój **astronauty**, ojciec był **astronautą**, pierwsi **astronauci**, powrót **astronautów**

astronomia
wykładowca **astronomii**, zajmował się **astronomią**

astronomiczny
zjawiska **astronomiczne**, wyniki badań **astronomicznych**, sumy **astronomiczne**

atmosfera
brak **atmosfery**, kilka **atmosfer**; w dobrej **atmosferze**

atrakcja
nie obyło się bez **atrakcji**, był **atrakcją** towarzystwa, **atrakcje** turystyczne, dużo **atrakcji**

atrament
pióro bez **atramentu**, kałamarz z **atramentem**, kolorowe **atramenty**, kilka **atramentów**

audycja
zapowiedź audycji, reklama przed **audycją**, **audycje** radiowe, brali udział w **audycjach**

auto
kierowca **auta**, pasażer w **aucie**, podróżowali **autem**, sznur **aut**

autobus
przyjazd **autobusu**, pasażerowie w **autobusie**, niebieskie **autobusy**, rozkład jazdy **autobusów**

autokar

wynajęcie **autokaru**, okna w **autokarze**, **autokary** na autostradzie, kierowcy **autokarów**

automat

karta do **automatu**, kupić w **automacie**, awarie **automatów**

autor

imię **autora**, notatka o **autorze** /**autorach**, **autorzy** książek, nazwiska **autorów**

autostrada

na **autostradzie**, płatne **autostrady**, budowa **autostrad**, znaki na **autostradach**

awantura

nie zniosę tej **awantury**, spokój po **awanturze**, sprawca **awantur**, już po **awanturach**

awaria

uniknąć **awarii**, rzadkie **awarie**

aż

wrzeszczy, **aż** uszy puchną

ażeby

Ażeby zdobyć powodzenie,
musiał mieć czyste swe sumienie.

B

babcia
Dzień **Babci**, spacer z **babcią**, nie ma **babć** lub **babci**, pomagać **babciom**

babka
lukier na **babce**, wielkanocne **babki**, formy do **babek**

babunia
iść do **babuni**, kilka **babuń**, podwieczorek z **babuniami**

bach, bach!, rozległy się strzały

bać się
boję się, boisz się, bój się!, bał się, bali się

bagaż
przechowalnia **bagażu**, moje **bagaże**, właściciele **bagaży** lub **bagażów**

bajka
zakończenie **bajki**, bohater w mojej **bajce**, wybór **bajek**, wieczór z **bajkami**

bajkopisarz
nazwisko **bajkopisarza**, wywiad z **bajkopisarzem**, spotkanie **bajkopisarzy**, pamiętajmy o **bajkopisarzach**

bakteria
bakterie chorobotwórcze, badanie **bakterii**

bal (zabawa)
Kopciuszek przed **balem**, na **balu**, **bale** sylwestrowe, pora **balów**

bal (obrobiony pień drzewa)
mostek z **bala**, dębowe **bale**, strop z **bali**

ballada
postać z **ballady**, autorzy **ballad**

balustrada
oparł się o **balustradę**, siedział na **balustradzie**, **balustrady** balkonów, malowanie **balustrad,** szczebelki w **balustradach**

bałwan (figura ze śniegu)
ulepimy **bałwana**, piosenka o **bałwanie**, **bałwany** mają marchewkowe nosy, miotły **bałwanów**

bałwan (głupiec)
skończony z niego **bałwan**
bałwan (fala morska)
spienione **bałwany**
banan
skórka **banana**, marzył o **bananie**, kilogram **bananów**
bandaż
zwijanie **bandaża**, opatrunek z **bandażem**, **bandaże** elastyczne, rodzaje **bandaży**
bar
nazwa **baru**, obiad w **barze**, **bary** mleczne, sieć wegetariańskich **barów**

Słoń
o wielkim ciężarze
strzaskał już krzesło
w barze.

bardzo się zmęczyłem, **bardziej** się zasapałem, **najbardziej** się spociłem
baśń
bohaterowie **baśni**, zasypiam z **baśnią**, **baśnie** na dobranoc, czary w **baśniach**
bawić się,
bawię się, bawisz się, baw się!, bawił się, bawili się

bażant
pióra **bażanta**, klatka ze złotym **bażantem**, **bażanty** w parku, ochrona **bażantów**

bąbel
obyło się bez **bąbla**, plaster na **bąblu**, wielkie **bąble**, noga w **bąblach**
bądź (zobacz **być**)
bąk (owad)
bzyczenie **bąka**, chmara **bąków**; przez cały dzień zbijał **bąki**
bąk (zabawka)
bawił się **bąkiem**, kolorowe **bąki**, przyglądał się **bąkom**
Belgia
wyjazd do **Belgii**, przejeżdżaliśmy przez **Belgię**, rodowita **Belgijka**, mężny **Belg**, **belgijski** krajobraz, **belgijskie** sery

Wielką literą piszemy nazwy **państw** i **mieszkańców państw**.

benzyna
brak **benzyny**, kłopoty z **benzyną**

bez (przyimek)
Mówił i mówił **bez** przerwy, szarpiąc wszystkim nerwy.

bez (krzew)
krzaki **bzu**, wazon z **bzem**, **bzy** w ogrodzie, pęki **bzów**

bezokolicznik
forma **bezokolicznika**, zdanie z **bezokolicznikiem**, **bezokoliczniki** w wypowiedzi, końcówki **bezokoliczników**

bezużyteczny przedmiot, **bezużyteczne** informacje

bibliotekarz
praca **bibliotekarza**, **bibliotekarze** w bibliotece, pomoc **bibliotekarzy**

biec lub **biegnąć**
biegnę, biegniesz, biegnij!, biegł, biegli

bitwa
cisza przed **bitwą**, morskie **bitwy**, stoczono wiele **bitew** lub **bitw**

biurko
blat **biurka**, siedział przy **biurku**, wybór **biurek**, gabinet z **biurkami**

biuro
adres **biura**, praca w **biurze**, wyposażenie **biur**, komputery w **biurach**

biznesmen
teczka **biznesmena**, **biznesmeni** w biurowcu, kongres **biznesmenów**

biżuteria
wyrób **biżuterii**, nosić sztuczną **biżuterię**, szkatuła z **biżuterią**

bladoniebieski sweter

bladoróżowy szal

bliski memu sercu, **bliższy** krewny, **najbliższa** rodzina

blisko stanął, **bliżej** zatrzymał się, **najbliżej** podszedł

bliźni
szanuj **bliźniego**, pomóż **bliźniemu**, pamiętaj o **bliźnich**

bliźniak
urodziły się **bliźniaki**, bracia **bliźniacy**, jeden z **bliźniaków**

Brat bliźniak błędnego rycerza
odważnie do celu zmierza.

bliźnię
urodziły się **bliźnięta**, jedno z **bliźniąt**, weselej z **bliźniętami**, rozmawiamy o **bliźniętach**

bluza
gatunek **bluzy**, dres z **bluzą**, marynarskie **bluzy**, brakuje **bluz**, napisy na **bluzach**

bluzka
wieszak z **bluzką**, plama na **bluzce**, kolorowe **bluzki**, kroje **bluzek**

błahy powód, problem **błahszy** od poprzedniego

błąd
zlikwidowanie **błędu**, **błąd** na **błędzie**, popełnione **błędy**, unikanie **błędów**

błądzić
błądzę, błądzisz, błądź!, błądził, błądzili

błędny wynik równania, **błędne** obliczenia, **błędni** rycerze

bochenek
nie mam **bochenka** chleba, dzielili się **bochenkiem**, pszenne **bochenki**, kosz pełen **bochenków**

bohater
mamy **bohatera**, mój ty **bohaterze**, nasi **bohaterowie** lub **bohaterzy**, pomnik **bohaterów**

bohaterski czyn, **bohaterscy** żołnierze

boisko
jesteśmy na **boisku**, **boiska** do koszykówki, wiele **boisk**, rozgrywki na **boiskach**

bok
stał z **boku**, obejść **bokiem**, dwa **boki**, długość **boków**

bokser
zwycięstwo **boksera**, mówiono o **bokserze**, **bokserzy** wagi ciężkiej, trening **bokserów**

bomba
lont **bomby**, terrorysta z **bombą**, rozbrajanie **bomb**, leje po **bombach**

bombka
wzorki na **bombce**, kolorowe **bombki**, pudełko **bombek**

borówka
ślimak na **borówce**, świeże **borówki**, koktajl z **borówek**, ciasto z **borówkami**

borsuk
szukamy **borsuka**, miś z **borsukiem**, **borsuki** zapadają w sen zimowy, norki **borsuków**

Boże Narodzenie
nastrój świąt **Bożego Narodzenia**, porządki przed **Bożym Narodzeniem**

Nastrój
Bożego Narodzenia
każdego zwierza
w człeka zmienia.

bób
zbiór **bobu**, potrawa z **bobem**

Bóbr (rzeka)
nurt **Bobru**, łowimy ryby w **Bobrze**

bóbr (zwierzę)
żeremie **bobra**, opowieść o **bobrze**, sprytne **bobry**, stadko **bobrów**

Ó piszemy, gdy w innych formach tego samego wyrazu lub w wyrazach pokrewnych następuje wymiana na litery: **o**, **a**, **e**.

Bóg (w odniesieniu do jedynego Boga) modlitwa do **Boga**, składali hołd **Bogu**, idź z **Bogiem**, o mój **Boże**!

bóg (w odniesieniu do wielu innych bogów) oblicza **boga**, rozmawiał z **bogiem**, **bogowie** greccy, uczty **bogów**

bój
sygnał do **boju**, cisza przed **bojem**, liczne **boje**, stoczyć wiele **bojów**

ból
odczuwanie **bólu**, bronił się przed **bólem**, dokuczały mu **bóle**, nie mieć **bólów** lub **bóli**

bór

w środku **boru**, w **borze** urządził król polowanie, ogromne **bory**, mapy **borów**

brać

biorę, bierzesz, bierz!, brał, brali

bródka

pod **bródką** miał kołnierzyk, pryszcz na **bródce**, kozie **bródki**, szyk hiszpańskich **bródek**, siwe włosy w **bródkach**

brud

usuwanie **brudu**, walka z **brudem**, żyli w **brudzie**, **brudy** w koszu

Bruksela

przyjazd do **Brukseli**, wysiadł przed **Brukselą**, uprzejma **brukselka**, energiczny **brukselczyk**, **brukselska** architektura, **brukselskie** koronki

brukselka

talerz z **brukselką**, masełko na **brukselce**, główki **brukselek**, kalafior w **brukselkach**

brzask

do **brzasku** jeszcze godzina, ruszył w pole przed **brzaskiem**, wstał o **brzasku**, **brzaski** tego lata, wiele **brzasków**

Przybył Zenon
o brzasku do Brukseli,
większego brudasa
tam nie widzieli!

brzeg

podbiegł do **brzegu**, szedł **brzegiem**, dwa **brzegi**, z dala od **brzegów**

Rz piszemy po spółgłoskach:
p, **b**, **t**, **d**, **k**, **g**, **ch**, **j**, **w**.

brzęczeć

brzęczę, brzęczysz, brzęcz!, brzęczał, brzęczeli

brzmieć

brzmi, brzmisz, brzmij!, brzmiał, brzmieli

brzoskwinia
meszek **brzoskwini**,
krem z **brzoskwinią**,
brzoskwinie z puszki,
smak **brzoskwiń**

brzoza
kora **brzozy**, leżał pod **brzozą**,
ściął wiele **brzóz**, mech między
brzozami

Biegał jak szalony
między brzozami,
gdy tak się uganiał
za dziewczętami.

brzózka
spadły liście z **brzózki**, ptaszek
na **brzózce**, alejka **brzózek**,
wiersz o **brzózkach**

brzuch
ból **brzucha**, wiercił dziurę
w **brzuchu**, opasłe **brzuchy**,
leżał do góry **brzuchem**

brzuchomówca
głos **brzuchomówcy**, rozmowa
z **brzuchomówcą**, zdolności
brzuchomówców

brzydki sen, **brzydcy** mężczyźni,
dzień **brzydszy** od
wczorajszego

bucik
obcas **bucika**, kopnął **bucikiem**,
buciki dziecięce, sznurówki
do **bucików**

buda
pies przed **budą**, czasem
w **budzie**, **budy** jarmarczne,
sprzedaż w **budach**

budować
buduję, budujesz, buduj!,
budował, budowali

budrysówka
krój **budrysówki**, chodzę
w **budrysówce**, kaptury
budrysówek, guziki
w **budrysówkach**

budzić
budzę, budzisz, budź!, budził,
budzili

budzik
tykanie **budzika**, radio
z **budzikiem**, **budziki** dzwonią,
dźwięk **budzików**

bufet
zapachy **bufetu**, kanapki
w **bufecie**, **bufety** dworcowe,
obsługa **bufetów**

Ustalili, że w bufecie
zjedzą po jednym kotlecie.

buk

pożółkłe liście **buka** lub **buku**, **buki** w lasku, rząd **buków**

bukiet

doręczenie **bukietu**, bilecik w **bukiecie**, **bukiety** kwiatów, wstążki **bukietów**

bukszpan

listki **bukszpanu**, **bukszpany** w ogrodzie

bułka

smak **bułki**, serek na **bułce**, zapach **bułek**, kosze z **bułkami**

burak

kolor **buraka**, sałatka z **burakiem**, **buraki** pastewne, barszcz z **buraków**

burmistrz

wybór **burmistrza**, szanowani **burmistrzowie** lub **burmistrze**, decyzje **burmistrzów**

bursztyn

kolor **bursztynu**, pierścionek z **bursztynem**, **bursztyny** na plaży, sznur **bursztynów**

burza

początek **burzy**, cisza przed **burzą**, **burze** letnie, okres **burz**

WYJĄTEK!
Po spółgłoskach **k**, **p**, **w** piszemy niekiedy **sz**.

but

czyszczenie **buta**, dziura w **bucie**, **buty** zimowe, pudełko po **butach**

Borsuk chodzi jak struty,
bo go tak cisną buty.

butelka

zakrętka do **butelki**, sok w **butelce**, skup **butelek**

buzia

ślad czekolady na **buzi**, rozdziawić **buzię**, uśmiechnięte **buzie**, zdjęcia wielu **buź** lub **buzi**

buźka

dziewczynka z ładną **buźką**, uśmiech na **buźce**, tyle **buziek**, **buźka** dla cioci

być

jestem tutaj, **jesteś** sam, **są** obecni, **będę** wracał, **będziesz** szedł, **będą** uciekać, **bądź** teraz, **bądźcie** zawsze, **był** ze mną, **byli** razem

bystry chłopiec, byli **bystrzy**, on był **bystrzejszy**

bzdura

nie rozmawiajmy więcej o tej **bzdurze**, same **bzdury**, stek **bzdur**

C

całus
prosił o **całusa**, z **całusem** gorącym, babcia śle **całusy**, przesyłanie **całusów**

cd. (czytaj: **ciąg dalszy**)
cd. na s. 44 – **ciąg dalszy** na stronie 44

Po tym skrócie stawiamy kropkę.

cdn. (czytaj: **ciąg dalszy nastąpi**)

cebula
kilogram **cebuli**, kroił **cebulę**, worek **cebuli** lub **cebul**

cecha
mam tę **cechę,** nie mów o tej **cesze**, brakuje mu dobrych **cech**

cenny przedmiot, byli **cenni** dla nas, **cenniejsza** niż złoto

centrum
centrum miasta, **centra** handlowe, brak **centrów** przemysłowych

centymetr
brakuje **centymetra**, po **centymetrze**, **centymetry** wstążek, kilka **centymetrów**

cesarz
powóz **cesarza**, oddać **cesarzowi** hołd, dynastie **cesarzy** lub **cesarzów**, danina spłacana **cesarzom**

Rz piszemy w wyrazach zakończonych na **-arz**, **-erz**, które wymieniają się na **r**.

cętka
kot z **cętką** na nosku, brudek na **cętce**, **cętki** tygrysie, wiele **cętek** na futrze

chaber
zapach **chabra** lub **chabru**, piosenka o **chabrze**, niebieskie **chabry**, pole **chabrów**

chałupa
zbudował **chałupę**, mieszkał w **chałupie**, wiejskie **chałupy**, strzechy **chałup**

charakter
nie miał **charakteru**, osoba z **charakterem**, **charaktery** postaci, różnice **charakterów**

chart
maść **charta**, gonitwa z **chartem**, rasowe **charty**, hodowla **chartów**

Hasał chart po hali,
aż go przyłapali.

chata
wybudować **chatę**, Józek mieszkał w **chacie**, **chaty** na raty, strzechy **chat**

chcieć
chcę, chcesz, chciej!, chciał, chcieli

chciwy urzędnik, **chciwemu** człowiekowi zawsze mało, **chciwi** kupcy, jeden **chciwszy** od drugiego

chemia
lekcja **chemii**, interesuję się **chemią**

chęć
pracuję z **chęcią**, szczere **chęci**, dobrymi **chęciami** jest piekło wybrukowane

chętnie pomogę, coraz **chętniej** się uczył, ale **najchętniej** odpoczywał

chętny do nauki, **chętni** do pomocy, osoby **chętniejsze** do współpracy

chichot
bez złośliwego **chichotu**, odszedł z **chichotem**, **chichoty** zza ściany, szedł wśród **chichotów**

Chiny
koleżanka z **Chin**, odwiedzimy **Chiny**, skośnooka **Chinka**, mały **Chińczyk**, **chińska** kuchnia, **chińskie** rowery

Często piecze chleb
chińska cesarzowa
i zaraz go przed cesarzem
chciwie chowa.

chleb

smak **chleba**, pieśń o **chlebie**, pszenne **chleby**, wypiek **chlebów**, **chlebom** brązowieje skórka

Ch piszemy na początku wyrazów.

chlebak

kolor **chlebaka**, bułka jest w **chlebaku**, **chlebaki** turystyczne, wybór **chlebaków**

chlew

budowa **chlewa** lub **chlewu**, trzoda w **chlewie**, **chlewy** dla świń, budynki **chlewów**

chłop

chata **chłopa**, baba z **chłopem**, **chłopi** na polach, kłótnia **chłopów**

Hop, hop! – krzyknął chłop
i przeskoczył szybko płot.

chłopiec

imię **chłopca**, był grzecznym **chłopcem**, **chłopcy** są na boisku, grupa **chłopców**

chłód

uczucie **chłodu**, marzyli o wieczornym **chłodzie**, jesienne **chłody**, czas **chłodów**

chmura

dziura w **chmurze**, wiszące **chmury**, kłęby **chmur**, słońce nad **chmurami**

chmurzyć się

chmurzę się, chmurzysz się, chmurz się!, chmurzył się, chmurzyli się

chociaż zimno, że aż strach, wyjdziemy na dwór

chodnik

krawężnik **chodnika**, zatrzymał się przed **chodnikiem**, nowe **chodniki**, remont **chodników**

chodzić

chodzę, chodzisz, chodź!, chodził, chodzili

choinka

prezenty włóż pod **choinkę**, cukierki na **choince**, **choinki** bożonarodzeniowe, ozdoby na **choinkach**

CH

chomik

imię **chomika**, wiewiórka z **chomikiem**, **chomiki** długowłose, para **chomików**

chorągiew

barwy **chorągwi**, odebrali **chorągiew**, **chorągwie** armii, rycerze z **chorągwiami**

chorągiewka

dziewczynka z **chorągiewką**, napis na **chorągiewce**, **chorągiewki** na wietrze, pęk **chorągiewek**

chorąży

stopień **chorążego**, został **chorążym**, panowie **chorążowie**, rozkazy **chorążych**

choroba

zakaźna **choroba**, walczyć z **chorobą**, **choroby** przewlekłe, historie **chorób**

chorować

choruję, chorujesz, choruj!, chorował, chorowali

chory

soki dla **chorego**, **choremu** podano leki, byli **chorzy** na grypę, odwiedzamy **chorych**

chód

mistrz **chodu** sportowego, mistrzostwa w **chodzie**, miał niezłe **chody** (o człowieku o dużych znajomościach i szerokich możliwościach)

> Ó piszemy, gdy w innych formach tego samego wyrazu lub w wyrazach pokrewnych następuje wymiana na litery: **o**, **a**, **e**.

chór

solista **chóru**, śpiewać w **chórze**, **chóry** anielskie, repertuary **chórów**

chórzysta

trema **chórzysty**, był **chórzystą**, śpiewali **chórzyści**, trzech **chórzystów**

chrabąszcz

pancerz **chrabąszcza**, mój **chrabąszczu**, nie siedź w gąszczu, **chrabąszcze** na łące, nie ma **chrabąszczy** lub **chrabąszczów**

Chrabąszcz uprawiał
marchewek zagony,
bo kolega królik był zmęczony.

chrupka
i już po **chrupce**, **chrupki** w sprzedaży, paczka **chrupek**, najadła się **chrupkami**

chrypka
walka z **chrypką**, i już po **chrypce**, częste **chrypki**, rodzaje **chrypek**

chryzantema
wazon z **chryzantemą**, bąk w **chryzantemie**, **chryzantemy** złociste, pąki **chryzantem**

chrzan
korzeń **chrzanu**, potrawa z **chrzanem**, ktoś lub coś jest do **chrzanu** (do niczego)

chrzcić
chrzczę, chrzcisz, chrzcij!, chrzcił, chrzcili

chrzest
pamiątka **chrztu**, przyjęcie po **chrzcie**, uroczyste **chrzty**, udzielanie **chrztów**

chrześcijanin
imię **chrześcijanina**, **chrześcijanie** na pasterce, prześladowania **chrześcijan**

chuchać
chucham, chuchasz, chuchaj!, chuchał, chuchali

chudy jak patyk, **chudszy** chłopiec, **chudsi** od charta

chustka
kolor **chustki**, taniec z **chustką**, w **chustce** na głowie, zawiązać rogi **chustkom**

chwalić
chwalę, chwalisz, chwal!, chwalił, chwalili

chwalipięta
monolog **chwalipięty**, rozmawiamy o **chwalipięcie**, kłótnia **chwalipiętów**, anegdota o **chwalipiętach**

Chudy chwalipięta
w chustce zawsze spędzał
wczasy w Ustce.

chytry człowiek, **chytrzy** jak lisy, jest coraz **chytrzejszy**

ciastko
smak **ciastka**, kawa z **ciastkiem**, paczka **ciastek**, lukier na **ciastkach**

ciasto
zapach **ciasta**, owoce w **cieście**, wypiek **ciast**, z drożdżowymi **ciastami**

ciąć
tnę, tniesz, tnij!, ciął, cięli

ciągnąć
ciągnę, ciągniesz, ciągnij!, ciągnął, ciągnęli

cichy głos, **cisi** uczniowie, **cichszy** deszcz

cielę
wzrok **cielęcia**, tłumaczył jak **cielęciu**, **cielęta** na pastwisku, stadko **cieląt**

Cichutkie cielę poszło do miasta
po czekoladowe cukierki i ciasta.

ciemność
lęk przed **ciemnością**, egipskie **ciemności**, kot widzi w **ciemnościach**

cienki papier, **ciency** jak karteczka, **cieńszy** od włosa

cień
smuga **cienia**, siedzimy w **cieniu**, snują się **cienie**, teatr **cieni** lub **cieniów**

cierpliwość
tłumaczył z **cierpliwością**, **cierpliwości** nigdy za wiele

ciężar
pozbyć się **ciężaru**, słoń o wielkim **ciężarze**, wielkie **ciężary**, podnoszenie **ciężarów**

ciężarówka
ładunek **ciężarówki**, kupił **ciężarówkę**, kierowcy **ciężarówek**, towary w **ciężarówkach**

ó piszemy w zakończeniach
-ów, -ówna, -ówka.

ciężki bagaż, **ciężcy** ludzie, **cięższy** od brata

ciuciubabka
nie lubię **ciuciubabki**, zabawa w **ciuciubabkę**

cm (czytaj: **centymetr**, **centymetry**) 1,5 **cm** – półtora **centymetra**, 2 **cm** – dwa **centymetry**

cmentarz
dookoła **cmentarza**, kaplica za **cmentarzem**, **cmentarze** miejskie, lokalizacja **cmentarzy** lub **cmentarzów**

co chwila lub **co chwilę** wyrazy
trudne mylę

codziennie jadł bułeczki oraz
słodkie babeczki

co dzień, co godzina zjeżdża się
cała rodzina

co miesiąc dzwonił do matki, by
sprawdzić jej bieżące
wydatki

córka

matka z **córką**, piękne **córki**,
pokój **córek**, baśń o **córkach**

cud

miejsce **cudu**, mówili o **cudzie**,
liczne **cuda**, moc **cudów**

Cudowne zdarzenie,
które robi na ludziach
wrażenie.

cudzysłów

brak **cudzysłowu**,
wyraz w **cudzysłowie**,
dwa **cudzysłowy**, użyć
cudzysłowów w zdaniu

cukier

kostka **cukru**, kawa z **cukrem**,
owoce w **cukrze**, białe
cukry

cukierek

smak **cukierka**, ubrudził
się **cukierkiem**, **cukierki**
w papierkach, wór
cukierków

Cygan

strój **Cygana**, **Cyganka** wróży
z kart, **cygański** tabor,
cygańska muzyka, **cygańskie**
tańce

Cygańska patelnia, żeliwna i trwała,
nigdy nam befsztyków już nie
przypalała.

cyrkiel

ostrze **cyrkla**, mierzył **cyrklem**,
cyrkle kreślarskie, używał **cyrkli**
lub **cyrklów**

czarno-biały film

czarnoksiężnik

zamek **czarnoksiężnika**,
wróżka z **czarnoksiężnikiem**,
czarnoksiężnicy z krainy Oz,
zlot **czarnoksiężników**

czarodziej
magia **czarodzieja**, spotkanie z **czarodziejem**, mali **czarodzieje**, para **czarodziejów**
czarodziejski świat, **czarodziejska** różdżka, na **czarodziejskiej** górze
czarownica
domek **czarownicy** na kurzej stopce, **czarownice** na Łysej Górze, zlot **czarownic**, nie wierz **czarownicom**
Czechy
wyprawa do **Czech**, granica z **Czechami**, piękna **Czeszka**, sympatyczny **Czech**, **czeskie** knedle, w **czeskich** filmach

Wielką literą
piszemy nazwy **państw**
i **mieszkańców państw**.

czekolada
smak **czekolady**, napis na **czekoladzie**, tabliczki **czekolad**, bakalie w **czekoladach**
czereśnia
drzewko **czereśni**, poczęstował się **czereśnią**, kilogram **czereśni**, ciasto z **czereśniami**

czerwiec
koniec **czerwca**, urlop przed **czerwcem**, upalne **czerwce**, nie pamiętam tak deszczowych **czerwców**

Czterystu górali
po czternastym czerwca
chodziło po ulicach
w wyszywanych kierpcach.

człowiek (zobacz: **ludzie**) twarz tego **człowieka**, spotkanie z ciekawym **człowiekiem**
czołg
lufa **czołgu**, żołnierz stał przed **czołgiem**, **czołgi** na poligonie, gąsienice **czołgów**
czółno
płynęli **czółnem**, siedzieli w **czółnie**, dwa **czółna**, dużo **czółen**, Indianie w **czółnach**

czterdzieści książek, **czterdziestu** mężczyzn, z **czterdziestoma** lub z **czterdziestu** żołnierzami

czternastka
gra w **czternastkę**, para **czternastek**

czternaście osób, **czternastu** ludzi, z **czternastoma** lub z **czternastu** dziewczynkami

czternaścioro dzieci, nie ma **czternaściorga** kurcząt, z **czternaściorgiem** dzieci

cztery żyrafy, było ich **czterech**, z **czterema** chłopcami

czterysta butelek, **czterystu** klientów, z **czterystu** kandydatami

czuć
czuję, czujesz, czuj!, czuł, czuli

czuwać
czuwam, czuwasz, czuwaj!, czuwał, czuwali

czwartek
w każdy **czwartek**, dzień po **czwartku**, **czwartki** miesiąca, nie znosił **czwartków**

czworo dzieci nie ma **czworga** kacząt, z **czworgiem** dzieci sobie poradzi

czwórka
cyfra przed **czwórką**, marzył o **czwórce**, mam same **czwórki**, piątki po **czwórkach**

czyhać
czyham, czyhasz, czyhaj!, czyhał, czyhali

czym prędzej uciekajmy, niedźwiedziowi się nie dajmy!

czysty jak aniołek, **czyści** jak nigdy dotąd, **czystszy** lub **czyściejszy** niż wczoraj

czyścić
czyszczę, czyścisz, czyść!, czyścił, czyścili

czyściutki miś, **czyściutcy** chłopcy

czytelnia
karta do **czytelni**, siedzieli przed **czytelnią**, **czytelnie** czasopism, studenci w **czytelniach**

czyżyk
ziarno dla **czyżyka**, wróbelek z **czyżykiem**, **czyżyki** siedziały na dachu, stadko **czyżyków**

Czyżyki dwa złapała pchła,
bardzo się czyściły
i trochę złościły.

ćma

patrzeć na **ćmę**, mówił o **ćmie**, **ćmy** latały dookoła lampy, skrzydełka **ciem**

Litery **ń**, **ś**, **ć**, **ź**, **dź** piszemy przed innymi spółgłoskami.

ćw. (czytaj: **ćwiczenie** lub **ćwiczenia**)

ćw. 4 – **ćwiczenie** czwarte

ćwiartka

zjadł **ćwiartkę** pomidora, mówił o **ćwiartce** chleba, **ćwiartki** masła, kilka **ćwiartek**

ćwicz. (czytaj: **ćwiczenie** lub **ćwiczenia**)

ćwiczenie gimnastyczne,

przed **ćwiczeniem** językowym, **ćwiczenia** gramatyczne, wykonywanie **ćwiczeń**

ćwierć

zadowolił się **ćwiercią** łupu, dwie **ćwierci**

ćwierćnuta

motyw z **ćwierćnutą**, dwie **ćwierćnuty**, szereg **ćwierćnut**, zapominał o **ćwierćnutach**

ćwierkać

ćwierkam, ćwierkasz, ćwierkaj!, ćwierkał, ćwierkali

D

dach

szczyt **dachu**, dom z czerwonym **dachem**, **dachy** miasta, remonty **dachów**

dachówka

stosik **dachówki**, sklep z **dachówką**, wzór na **dachówce**, kładzenie **dachówek**

ó piszemy w zakończeniach **-ów, -ówna, -ówka.**

dag (czytaj: **dekagram** lub **dekagramy**)

2 **dag** – dwa **dekagramy**, 10 **dag** – dziesięć **dekagramów**

Dania

przybyli do **Danii**, unia z **Danią**, ona jest **Dunką**, dowcipny **Duńczyk**, **duńskie** masło, **duński** krajobraz

dąb

liście **dębu**, żołędzie na **dębie**, stuletnie **dęby**, korony **dębów**

dedykacja

brak **dedykacji**, strona z **dedykacją**, serdeczne **dedykacje**, książki z **dedykacjami**

dentysta

wizyta u **dentysty**, nie zapominaj o **dentyście**, **dentyści** w przychodniach, gabinety **dentystów**

Po dentystycznym zabiegu
wytarzał się z bólu
w śniegu.

deser

składniki **deseru**, obiad z **deserem**, lubię **desery**, smaki **deserów**

deskorolka
entuzjasta **deskorolki**, cieszyć się **deskorolką**, jazda na **deskorolce**, jeździli na **deskorolkach**

deszcz
krople **deszczu**, burza z **deszczem**, **deszcze** jesienne, pora **deszczów** lub **deszczy**

dezodorant
zapach **dezodorantu**, talk w **dezodorancie**, **dezodoranty** damskie, wybór **dezodorantów**

diabeł
widziałam **diabła**, nie wierz **diabłu**, baraszkujące **diabły**, ogony **diabłów**

dinozaur
kości **dinozaura**, historia o **dinozaurze**, wymarłe **dinozaury**, epoka **dinozaurów**

dlatego, że jesteśmy sympatyczni, jesteśmy ładniejsi

dla tego dziecka ważne są sukcesy

długi jamnik, **dłudzy** na dwa metry, **dłuższy** od **najdłuższego** na świecie

długopis
wkład do **długopisu**, pisanie **długopisem**, **długopisy** kolorowe, pudełko **długopisów**

długość
niewielkie **długości**, ogromnymi **długościami**, sporym **długościom**

dmuchać
dmucham, dmuchasz, dmuchaj!, dmuchał, dmuchali

dmuchawiec
nasiona **dmuchawca**, zabawa z **dmuchawcem**, **dmuchawce** na łące, pęk **dmuchawców**

dobranoc
wysłuchaj bajki na **dobranoc**

dobranocka
pora **dobranocki**, kolacje przed **dobranocką**, wieczory z **dobranockami**

dobry pomysł, **dobrzy** ludzie, **lepsze** wyniki

dobry wieczór mówimy wieczorem

do góry szedł ciężko

dojazd
brak **dojazdu**, kłopot z **dojazdem**, **dojazdy** są utrudnione, koniec **dojazdów**

dojrzeć
dojrzeję, dojrzejesz, dojrzej!, dojrzał, dojrzeli

Rz piszemy po spółgłoskach; **p**, **b**, **t**, **d**, **k**, **g**, **ch**, **j**, **w**.

dojrzewać
dojrzewam, dojrzewasz, dojrzewaj!, dojrzewał, dojrzewali

dojść
dojdę, dojdziesz, dojdź!, doszedł, doszli

do jutra czekał i się nie doczekał

dokąd idziesz?

dokądkolwiek będziesz szedł, pójdę z tobą

doktor
wizyta u **doktora**, panie **doktorze**, panowie **doktorzy**, domowe wizyty **doktorów**, **doktor** habilitowany, **doktor** honoris causa, byli tam naukowcy: profesorowie i **doktorzy** lub **doktorowie**

dokument
podpisanie **dokumentu**, data w **dokumencie**, ważne **dokumenty**, teczka **dokumentów**

dookoła lub **dokoła** świata albo jeszcze dalej

Do podróży dookoła świata przygotowywał się aż dwa lata.

dopóki mamy czas

dorożka
jadę **dorożką**, siedzieć w **dorożce**, postój **dorożek**, wiersze o **dorożkach**

dostrzec
dostrzegę, dostrzeżesz, dostrzeż!, dostrzegł, dostrzegli

dostrzegać
dostrzegam, dostrzegasz, dostrzegaj!, dostrzegał, dostrzegali

dotychczas nikt nie popełnił błędu

dowód
brak **dowodu**, przedmiot był **dowodem**, **dowody** w sprawie, kilka **dowodów**

dowódca
rozkaz **dowódcy**, był **dowódcą** oddziału, oni są **dowódcami**, stopnie **dowódców**

dół
kopanie **dołu**, siedział w **dole**, głębokie **doły**, głębokość **dołów**

dr (czytaj: **doktor**)
dr Zenon Piguła – **doktor** Zenon Piguła

drapieżnik
zdjęcie **drapieżnika**, gepard jest **drapieżnikiem**, **drapieżniki** w zoo, klatki **drapieżników**

drażnić
drażnię, drażnisz, drażnij!, drażnił, drażnili

drążek
koniec **drążka**, metalowe **drążki**, ćwiczenia na **drążkach**

Ż piszemy, gdy w formach tego samego wyrazu lub w wyrazach pokrewnych ulega wymianie na: **g, h, s, z, ź, dz.**

drób
hodowla **drobiu**, handlował **drobiem**

dróżka
idąc **dróżką**, ślimak na **dróżce**, leśne **dróżki**, grzyby rosły przy **dróżkach**

Pełznie wąż wąską dróżką, nie porusza żadną nóżką.

drugi w dzienniku, **drugie** wydanie, **drudzy** na mecie

drugoklasista
pióro **drugoklasisty**, był **drugoklasistą**

druh
mundur **druha**, spotkanie z **druhem**, **druhowie** zastępów, zlot **druhów**

druhna
tańczyć z **druhną**, piosenka o **druhnie**, wszystkie **druhny**, suknie **druhen**

drukarnia
kierownik **drukarni**, współpraca z **drukarnią**, krakowskie **drukarnie**, wiele **drukarni** lub **drukarń**

drukarz
zawód **drukarza**, brat był **drukarzem**, dobrzy **drukarze**, praca z **drukarzami**

drut
zwoje **drutu**, ukłuł mnie **drutem**, włosy proste jak **druty**, grubość **drutów**

Ptak siedział
na telegraficznym drucie
i śpiewał piosenki
o Nowej Hucie.

drużyna
trener **drużyny**, kibicował **drużynie**, pojedynek **drużyn**, zabawy w **drużynach**

drzazga
rozpalić w piecu **drzazgą**, **drzazgi** w desce, usuwanie **drzazg** z palucha

drzeć
drę, drzesz, drzyj!, darł, darli

drzemać
drzemię, drzemiesz, drzem!, drzemał, drzemali

drzemka
popołudnie z **drzemką**, już po **drzemce**, krótkie **drzemki**, wybudzanie z **drzemek**

drzewko
sadzenie **drzewka**, jeżyk pod **drzewkiem**, listki **drzewek**, sad z **drzewkami** brzoskwiniowymi

drzewo
siedział pod **drzewem**, ptak na **drzewie**, **drzewa** owocowe, szum **drzew**

drzwi
zamykaj **drzwi**, stał pod **drzwiami**, numer na **drzwiach**

drżeć
drżę, drżysz, drżyj!, drżał, drżeli

duch
postać **ducha**, rozmawiał z **duchem**, **duchy** ze strychu, pora **duchów**

Ch piszemy, gdy w innych formach tego samego wyrazu lub w wyrazach pokrewnych następuje wymiana się na sz.

duży
duży garnek, chłopcy byli **duzi**, jest coraz **większy**

dwa zdjęcia, **dwóch** lub **dwu** braci, **dwom** lub **dwu**, lub **dwóm** braciom, z **dwoma** lub z **dwu** braćmi

dwadzieścia groszy, **dwudziestu** żołnierzy, z **dwudziestoma** lub z **dwudziestu** dziewczynkami

dwanaście pań, **dwunastu** pacjentów, z **dwunastoma** lub z **dwunastu** klientami

dwanaścioro dzieci, przyglądał się **dwanaściorgu** źrebiętom, z **dwanaściorgiem** dzieci

dwieście dni, **dwustu** harcerzy, z **dwustoma** lub z **dwustu** rycerzami

dworzec
w okolicach **dworca**, **dworce** autobusowe, bagaże na **dworcach**

Siedział na Dworcu Głównym
dyżurny ruchu
w bardzo kwiecistym dużym
fartuchu.

dwójka
brakowało **dwójki**, cyfra przed **dwójką**, rząd **dwójek**, **dwójkami** szli

dwór
dziedzic **dworu**, konie na **dworze**, **dwory** ziemiańskie, remonty **dworów**

> **Ó** piszemy, gdy w innych formach tego samego wyrazu lub w wyrazach pokrewnych następuje wymiana na litery: **o**, **a**, **e**.

dwukropek
brak **dwukropka**, wyliczenia po **dwukropku**, **dwukropki** w zdaniu, kilka **dwukropków** w tekście

dwunasty zawodnik, duch przychodzi o godzinie **dwunastej**, dziesięć **dwunastych**

dyktando
ocena **dyktanda**, błąd w **dyktandzie**, teksty **dyktand**, teczka z **dyktandami**

dyr. (czytaj: **dyrektor**)
dyr. Maria Książek – **dyrektor** Maria Książek

dyrektor
gabinet **dyrektora**, spotkanie z **dyrektorem**, **dyrektorzy** fabryk, dwóch **dyrektorów**

dyżur
koniec **dyżuru**, nocne **dyżury**, kierownik **dyżurów**, pielęgniarki na **dyżurach**

dyżurny
syn **dyżurnego**, był dziś **dyżurnym**, **dyżurni** na korytarzach, dwóch **dyżurnych**

dziadek
Dzień **Dziadka**, **dziadkowie** grali w szachy, wysłać kartkę **dziadkom,** kolacja z **dziadkami**

dziecko
Dzień **Dziecka**, dwoje **dzieci**, obiecać **dzieciom** wycieczkę, bawić się z **dziećmi**

Wielką literą piszemy **nazwy świąt**.

dzień
koniec **dnia**, przed jutrzejszym **dniem**, **dni** tygodnia, wrócił po paru **dniach**

dziesiąty numerek, **dziesiąty** grudnia, godzina **dziesiąta**

dziesięcioro rodzeństwa, brak **dziesięciorga** dzieci, kwoka z **dziesięciorgiem** kurcząt

dziesięć minut, brak **dziesięciu** złotych, rozmowy z **dziesięcioma** lub z **dziesięciu** finalistami konkursu

dziewiątka
kropka po **dziewiątce**, dwie **dziewiątki**, szereg **dziewiątek**

dziewięcioro dzieci, brak **dziewięciorga** kacząt, z **dziewięciorgiem** szczeniąt

dziewięć części, **dziewięciu** braci, opowieść o **dziewięciu** rycerzach, spotykali się z **dziewięcioma** lub z **dziewięciu** koleżankami

dziewięćdziesiąt metrów, **dziewięćdziesięciu** pasażerów, z **dziewięćdziesięcioma** lub z **dziewięćdziesięciu** żołnierzami

dziewięćdziesiąty rok, **dziewięćdziesiąta** rocznica urodzin, lata **dziewięćdziesiąte**

dziewięćset drugi rok, nie mam **dziewięciuset** złotych

dziewięćsetny dzień, **dziewięćsetna** rocznica istnienia miasta

dziewiętnastka przed dwudziestką, cyfry w **dziewiętnastce**, kilka **dziewiętnastek**

dziewiętnaście lat, **dziewiętnastu** żołnierzy, rozmawiał z **dziewiętnastoma** lub z **dziewiętnastu** kandydatami

dzięcioł
stukanie **dzięcioła**, historia o **dzięciole**, **dzięcioły** na dębie, parka **dzięciołów**

dziękować
dziękuję, dziękujesz, dziękuj!, dziękował, dziękowali

dzik
polowanie na **dzika**, uciekał przed **dzikiem**, **dziki** na polanie, stado **dzików**

dziób (ptaka)
kolor **dzioba** lub **dzióba**, kacze **dzioby** lub **dzióby**, para **dziobów** lub **dzióbów**

dziób (statku)
kształt **dziobu** lub **dzioba**, majtek stał na **dziobie** statku

> **ó** piszemy, gdy w innych formach tego samego wyrazu lub w wyrazach pokrewnych następuje wymiana na litery: **o**, **a**, **e**.

dzisiaj zdarzy się coś ciekawego

dziś tu, jutro tam

dziupla
mieszkanko w **dziupli**, **dziuple** do wynajęcia, otwory **dziupli**, zapasy w **dziuplach**

W wynajętej dziupli
żyły dwa dzięcioły,
jeden był stuknięty,
a drugi wesoły.

dziura

siedział w **dziurze**, cerowała **dziury**, wiele **dziur**, chodził po **dziurach**

dźwięk

nie wydawał **dźwięku**, z **dźwiękiem** dzwonu, **dźwięki** hejnału, harmonia **dźwięków**

dźwig

operator **dźwigu**, koparka z **dźwigiem**, **dźwigi** na budowie, praca **dźwigów**

dżdżownica

nadepnąłeś na **dżdżownicę**, **dżdżownice** spulchniają glebę, setki **dżdżownic**, ziemia z **dżdżownicami**

dżdżysty dzień, **dżdżysta** pogoda

W bardzo dżdżystą pogodę
dżdżownica jeździła samochodem,
żeby chronić się przed chłodem.

dżem

słoik **dżemu**, bułka z **dżemem**, **dżemy** na zimę, smaki **dżemów**

dżins

łata z **dżinsu**, plama na **dżinsie**

dżinsy

para **dżinsów**, dziury w **dżinsach**

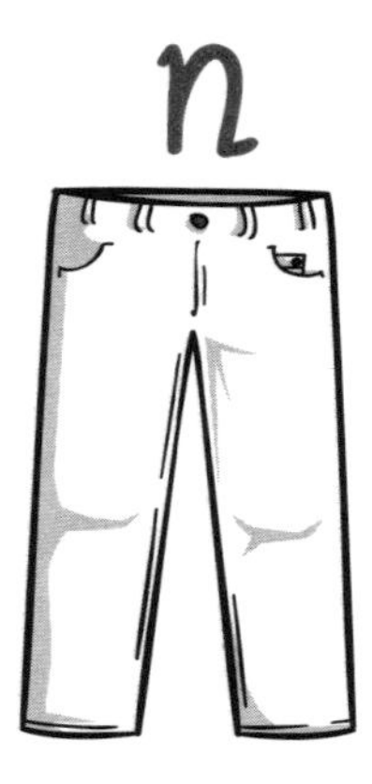

dżokej

zawód **dżokeja**, mali **dżokeje**, konkurs **dżokejów** lub **dżokei**, konie z **dżokejami**

W pewien dżdżysty dzień
dżokej zgubił cień.

dżungla

prawo **dżungli**, **dżungle** tropikalne, zwierzęta żyjące w **dżunglach**

E

Om, **on**, **em**, **en** piszemy w wyrazach pochodzenia obcego, zgodnie z wymową.

ech, co za pech!

echo
wydarzenie przeszło bez **echa** (bez odzewu), jesteś moim **echem**, pytanie bez **echa** (bez odpowiedzi)

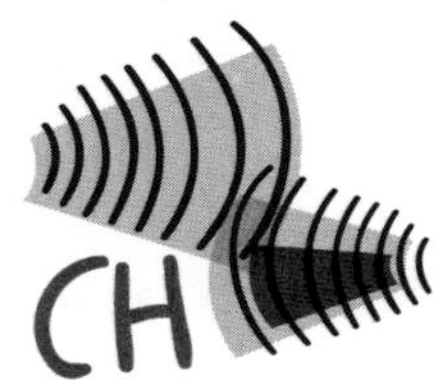

edukacja
minister **edukacji**, zakończył **edukację**

Egipt
mapa **Egiptu**, sojusz z **Egiptem**, mała **Egipcjanka**, wysoki **Egipcjanin**, mumia **egipska**, **egipskie** ciemności

egoista
cechy **egoisty**, nie jestem **egoistą**, **egoiści** są samotni, klub **egoistów**

egzemplarz
cena **egzemplarza**, w jednym **egzemplarzu**, **egzemplarze** pisma, kilka **egzemplarzy**

ejże, to chyba żart!

ekierka
pożyczę **ekierkę**, **ekierki** w piórniku, używam **ekierek**, skala na **ekierkach**

ekologia
za pan brat z **ekologią**, wiedza o **ekologii**

ekologiczny ośrodek,
ekologiczne preparaty, wyniki **ekologicznych** badań

ekran
rozmiar **ekranu**, **ekrany** telewizyjne, wielkość **ekranów**, na **ekranach** kin

ekspedientka
uprzejmość **ekspedientki**, była **ekspedientką**, praca **ekspedientek**, rozmowa z **ekspedientkami**

ekspres (do parzenia kawy)
kawa z **ekspresu**, **ekspresy** do kawy

ekspres (pociąg)
jechał **ekspresem**, pasażerowie **ekspresów**

elegancja
brak jej **elegancji**, poruszał się z **elegancją**

elegancki kapelusz, **eleganccy** panowie, pan jest coraz **elegantszy**

elektryczność
przewodnik **elektryczności**, poruszany **elektrycznością**

elektryczny dzwonek, wyładowania **elektryczne**, sprawność urządzeń **elektrycznych**

elementarz
korzystałem z **elementarza**, pierwszak z **elementarzem**, **elementarze** w księgarni, wiersze w **elementarzach**

elf
skrzydła **elfa**, opowieść o **elfie**, **elfy** i wróżki, kraina **elfów**

emeryt
wiek **emeryta**, dziadek jest **emerytem**, nasi **emeryci**, wspomnienia **emerytów**

emu
struś **emu** nie lubi dżemu!

encyklopedia
korzystam z **encyklopedii**, **encyklopedie** w tomach, hasła w **encyklopediach**

energia
brak **energii**, robiła to wszystko z wewnętrzną **energią**

esencja
okłady z **esencji**, filiżanka z **esencją**, **esencje** herbaciane

Egipcjanin uczył się języków, aby zrozumieć Europejczyków.

etykieta
brak **etykiety**, napis na **etykiecie**, **etykiety** zastępcze, druk **etykiet**

Europa
narody **Europy**, związek z **Europą**, młoda **Europejka**, był **Europejczykiem**, **europejska** tradycja, **europejskie** stolice

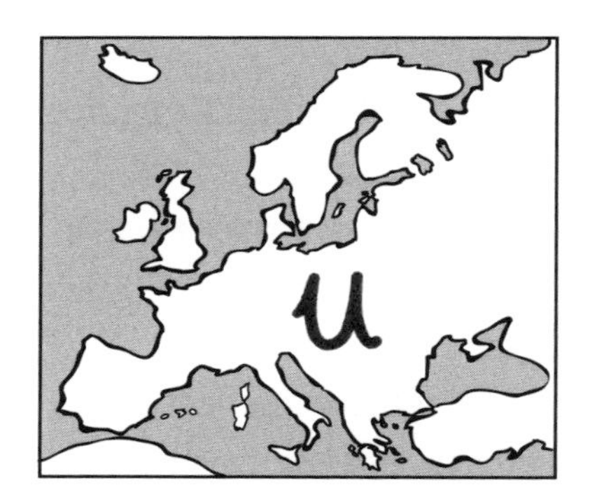

Ewangelia św. Marka, **Ewangelia** według św. Łukasza, czytanie **Ewangelii**, cztery **Ewangelie**

F

fałszerz

precyzja **fałszerza**, **fałszerze** dzieł sztuki, specjalizacja **fałszerzy**, pościg za **fałszerzami**

fantazja

brak **fantazji**, ruszył z **fantazją**, **fantazje** dziecięce, oddał się **fantazjom**

farba

kolor **farby**, malowanie **farbą**, pędzle w **farbie**, bez **farb**, paleta z **farbami**

fartuch

długość **fartucha**, przyszedł w **fartuchu**, wielkie **fartuchy**, fasony **fartuchów**

festiwal

początek **festiwalu**, przed **festiwalem**, sezon **festiwali** lub **festiwalów**, występy na **festiwalach**

Cerował i prał miś
swoje futro,
szedł na festiwal,
który już jutro.

figura

rzeźbić **figurę**, na **figurze**, **figury** woskowe, muzeum **figur**, taniec z **figurami**

filharmonia

budynek **filharmonii**, spotkanie przed **filharmonią**, dwie **filharmonie**, koncerty w **filharmoniach**

filiżanka

uszko **filiżanki**, z **filiżanką** w dłoni, komplet **filiżanek**, herbata w **filiżankach**

Francuski piesek
miał budkę z desek,
w oknach firanki,
pił z filiżanki.

fiolet

odcień **fioletu**, mówił o **fiolecie**, **fiolety** są przyjemne, nie lubię **fioletów**

fiołek

mały **fiołek**, chłopiec z **fiołkiem**, **fiołki** alpejskie, bukiecik **fiołków**

firanka
odsunął **firankę**, mucha na **firance**, **firanki** w oknach, wzory **firanek**

fontanna
woda w **fontannie**, nieczynne **fontanny**, wiele **fontann,** rzeźby w **fontannach**

formularz
wypełnianie **formularza**, błąd w **formularzu**, **formularze** osobowe, brakuje **formularzy** lub **formularzów**

fotografia
muzeum **fotografii**, podpis pod **fotografią**, **fotografie** z albumu, postacie na **fotografiach**

fragment
brak **fragmentu**, zaznaczył na **fragmencie**, piękne **fragmenty** poematu, przepisywanie **fragmentów**

Francja
król **Francji**, układ z **Francją**, elegancka **Francuzka**, uprzejmy **Francuz**, **francuska** moda, **francuskie** ciastka

Wielką literą piszemy nazwy **państw** i **mieszkańców państw**.

fruwać
fruwam, fruwasz, fruwaj!, fruwał, fruwali

fryzjer
wizyta u **fryzjera**, **fryzjerzy** strzygą jak należy, grzebienie **fryzjerów**

fryzura
jak wyglądam w nowej **fryzurze**?, modne **fryzury**, katalog **fryzur**, rozmawiały o **fryzurach**

futbol
mistrzowie **futbolu**

futro
gęstość **futra**, guzik przy **futrze**, czyszczenie **futer**, panie w **futrach**

futrzany kołnierz, **futrzana** czapka, **futrzane** pokrowce

G

g (czytaj: **gram**)

5,5 **g** – pięć i pół **grama**, 10 **g** – dziesięć **gramów**

gaduła

jesteś **gadułą**, **gadule** nie można przerwać, ależ **gaduły**!, nie słuchać **gaduł** lub **gadułów**

gaj

na skraju **gaju**, zielone **gaje**, zacisze **gajów**, w **gajach** oliwnych

gajowy

pan **gajowy**, rewir **gajowego**, spacer z **gajowym**, **gajowi** ze strzelbami

gajówka

dach **gajówki**, gajowy mieszka w **gajówce**, kilka **gajówek**

gałąź

kłopot z **gałęzią**, wróbel siedzi na **gałęzi**, **gałęzie** drzew, krzak z **gałęziami** lub z **gałęźmi**

garaż

wjechał do **garażu**, domek z **garażem**, **garaże** pod blokiem, budowa **garaży** lub **garażów**, remont w **garażach**

gardło

ból **gardła**, ość w **gardle**, zaczerwienienie **gardeł**

garncarz

zakład **garncarza**, wywiad z **garncarzem**, **garncarze** lepią garnki, cech **garncarzy**

Rz piszemy w zakończeniach **nazw zawodów**.

garnek

ucho **garnka**, zupa w **garnku**, **garnki** żeliwne, kolory **garnków**

garnitur

klapy **garnituru**, mężczyzna w **garniturze**, czarne **garnitury**, fasony **garniturów**

Garnitury w dziury
nosił kocur bury;
nie chciał być ponury,
gdy odwiedzał kury.

gawęda

lekcja o **gawędzie**, opowiadał **gawędy**, słuchał **gawęd**, książka z **gawędami**

gaz
pomiar **gazu**, butla z **gazem**, **gazy** trujące, wydzielanie się **gazów**

gazomierz
odczyt z **gazomierza**, **gazomierze** w blokach, montaż **gazomierzy** lub **gazomierzów**

gąbka
łowić **gąbkę** w wannie, mydło na **gąbce**, **gąbki** do ścierania tablicy, kolory **gąbek**

gąsienica
nóżki **gąsienicy**, liść z **gąsienicą**, **gąsienice** w kapuście, plaga **gąsienic**, czołg na **gąsienicach**

gąsior
szyja **gąsiora**, pióra na **gąsiorze**, hodowla **gąsiorów**; wino w **gąsiorach**

gąszcz
w **gąszczu** traw, zmagał się z **gąszczem**, **gąszcze** lian

gbur
mina **gbura**, żart o **gburze**, dookoła same **gbury**, nikt nie lubi **gburów**

Gdańsk
herb **Gdańska**, pod **Gdańskiem**, miła **gdańszczanka**, pracowity **gdańszczanin**, **gdańska** starówka, pisarze **gdańscy**

gdyż
gospodyni się martwi, **gdyż** skończył się jej ryż

gdzie indziej należało pójść po pomoc

gdziekolwiek będziesz, odezwij się

gdzieniegdzie widać już było przebiśniegi

geografia
lekcja **geografii**, przed **geografią**

gęsi smalec, **gęsia** skórka, **gęsie** pióra

gęsty żur, **gęstszy** kapuśniak, **gęściejszy** bigos

gęś
brytfanna z **gęsią**, pasła **gęsi**, gęgać z **gęśmi** lub z **gęsiami**

giąć
gnę, gniesz, gnij!, giął, gięli

Giewont
szczyt **Giewontu**, widokówka z **Giewontem**, byliśmy na **Giewoncie**

Wielką literą piszemy **nazwy gór**.

gitara
dźwięk **gitary**, gitarzysta gra na **gitarze**, struny **gitar**, grali na **gitarach**

glazura
kolor **glazury**, pudło z **glazurą**, wzór na **glazurze**, wzory **glazur**

glista
złapać **glistę**, o **gliście**, kłębowisko **glist**

Mówiono o gliście
na mieście,
a glista na wczasach
w Trieście.

gładki materiał, **gładcy** na twarzy, **gładszy** niż zwykle

głęboko weszli, coraz **głębiej**

głowa
nakrycie **głowy**, masz **głowę** na karku (o kimś mądrym, zaradnym), gadające **głowy**, czapki z **głów** (wyraz podziwu dla kogoś lub czegoś)

głód
nie odczuwam **głodu**, morzyli nas **głodem,** o **głodzie** i chłodzie

głóg
krzak **głogu**, jeżyk pod **głogiem**, **głogi** na bezdrożach, krzaki **głogów**

główka
makowa **główka**, loki na **główce**, **główki** czosnku, sianko w **główkach**

główny
dworzec **główny**, **główne** dowody w sprawie, **główni** bohaterowie opowiadania, mówiono o **głównych** problemach

głuchoniemy mężczyzna, **głuchoniema** kobieta, program dla **głuchoniemych**

głuchy jak pień, **głusi** ludzie,
głuchszy ode mnie
głupi psiak, **głupszy** kotek

Głupi był chłopiec,
lecz mądry dziadek;
odziedziczyli
wspaniały spadek.

gniazdko
lokatorzy **gniazdka**, wicie **gniazdek**, pisklęta w **gniazdkach**, opieka nad **gniazdkami**; wyjąć wtyczkę z **gniazdka**

gnić
gniję, gnijesz, gnij!, gnił, gnili

gniew
źródło **gniewu**, odszedł w **gniewie**

godz. (czytaj: **godzina**, **godziny**)
1 **godz.** – jedna **godzina**, 4 **godz.** – cztery **godziny**

godzina
około **godziny**, przed **godziną**, kilka **godzin**

godzinny spacer, **godzinna** pogawędka, **godzinne** spotkanie, przyjechał z **godzinnym** opóźnieniem

gołąb
gruchanie **gołębia**, orzeł z **gołębiem**, **gołębie** na dachach, hodowla **gołębi**

Ą, ę piszemy,
jeżeli ą wymienia się
na ę lub odwrotnie.

gołoledź
zapowiedź **gołoledzi**, nawierzchnia z **gołoledzią**

gorzej (zobacz **źle**)

gorzki smak, **gorzka** prawda, **gorzkie** żale

gospodarz
chałupa **gospodarza**, rozmowa z **gospodarzem**, **gospodarze** we wsi, wóz **gospodarzy**

gość
witali **gościa**, był **gościem**, **goście** weselni, razem z **gośćmi**

gotówka
brak **gotówki**, płacę **gotówką**, wypłata w **gotówce**

góra
zdobycie **góry**, stoimy na **górze**, stoki **gór**, schronisko w **górach**

góral
strój **górala**, góralka z **góralem**, **górale** na hali, legendy o **góralach**

górnik
praca **górnika**, wywiad z **górnikiem**, **górnicy** w kopalni, opowieść o **górnikach**

górzysty teren, **górzystszy** krajobraz

grad
zapowiedź **gradu**, uciekali przed **gradem**

graffiti
artystyczne **graffiti**, **graffiti** na ścianach domów

grejpfrut
smak **grejpfruta**, **grejpfruty** na straganie, kilogram **grejpfrutów**

Po grejpfruta grubej skórce
szła mróweczka w żółtej kurtce.

groch
ziarnko **grochu**, potrawa z **grochem**; **grochy** na sukience

grochówka
zapach **grochówki**, gotował **grochówkę**, kocioł z **grochówką**, kiełbasa w **grochówce**

Ó piszemy w zakończeniach
-ów, -ówna, -ówka.

grozić
grożę, grozisz, groź! lub gróź!, groził, grozili

groźba
uległ **groźbie**, list z **groźbą**, paskudne **groźby**, pod naporem **gróźb**

gród
ruiny **grodu**, pan na **grodzie**, **grody** krakowskie, mury **grodów**

gruby miś, **grubi** ludzie, **grubszy** niedźwiedź

grudniowy wieczór, **grudniowi** solenizanci

grudzień
koniec **grudnia**, zimne **grudnie**

grupa
kierownik **grupy**, z **grupą** turystów, lepiej w **grupie**, pracowali w **grupach**

gruszka
deser z **gruszką**, marzył o **gruszce**, **gruszki** z puszki, robaczki w **gruszkach**

W gruszce słodkiej mieszkał Grześ,
co jej miąższ uwielbiał jeść.

gruz
taczka **gruzu**, pojemnik z **gruzem**, **gruzy** domu, odbudować z **gruzów**

gryźć
gryzę, gryziesz, gryź!, gryzł, gryźli

grzać
grzeję, grzejesz, grzej!, grzał, grzali lub grzeli

grzałka
nie mam **grzałki**, kamień na **grzałce**, grzejnik z **grzałkami**, prąd w **grzałkach**

grządka
kret pod **grządką**, rośnie na **grządce**, plewić **grządki**, warzywa na **grządkach**

grzbiet
bóle **grzbietu**, siedzieć na **grzbiecie** konia, **grzbiety** górskie, wysokość górskich **grzbietów**

grzebień
zęby **grzebienia**, grał na **grzebieniu**, **grzebienie** fryzjerskie, kolekcja **grzebieni**

grzeczny chłopiec, byli **grzeczni**, **grzeczniejsza** dziewczynka

Grzegorz
mama **Grzegorza**, Grześ z **Grzegorzem**, dwaj **Grzegorze**, nazwiska **Grzegorzów** lub **Grzegorzy**

grzmot
odgłos **grzmotu**, **grzmot** po **grzmocie**, błyski i **grzmoty**, bali się **grzmotów**

grzyb
kapelusz **grzyba**, kłopot z **grzybem**, **grzyby** na zupę, kosz **grzybów**

grzywa
potrząsał **grzywą**, spinka na grzywce, końskie **grzywy**, bez **grzyw**

grzywka
fryzura z **grzywką**, krótkie **grzywki**

Gwiazdka złota spadła z nieba
na grzywkę dziewczynki,
tylko grzywka wystawała
spod grubej pierzynki.

guz
wielkość **guza**, czoło z **guzem**, dwa **guzy**, nabijanie **guzów**

guzik
przyszycie **guzika**, dziurka pod **guzikiem**, metalowe **guziki**, rząd **guzików**

gwiazda
blask **gwiazdy**, kolędnicy z **gwiazdą**, baśń o **gwieździe**, niebo pełne **gwiazd**, spali pod **gwiazdami**

gwiazdka
blask **gwiazdki**, hotel z **gwiazdką**, srebrzystość **gwiazdek**, gwiazda z **gwiazdkami**

gwóźdź
wbijanie **gwoździa**, ściana z **gwoździem**, duże **gwoździe**, obrazki na **gwoździach**

gżegżółka (ludowa nazwa kukułki)
upierzenie **gżegżółki**, ludowe opowieści o **gżegżółce**

ha! mam cię!
ha (czytaj: **hektar**)
1 **ha** – jeden **hektar**,
2,5 **ha** – dwa i pół **hektara**

Pannie te hektary dali,
które chłopcu obiecali, hej!

haft
nauka **haftu**, serwetka z **haftem**, **hafty** ozdobne, wzory **haftów**
hak
obraz na **haku**, mocował się z **hakiem**, **haki** metalowe, zaczepy **haków**

hala
owce na **hali**, spotkanie pod **halą**, zielone **hale**, zawody w **halach**
halo! kto mówi?
hałas
wiele **hałasu** o nic, walka z **hałasem**, **hałasy** z podwórka, tłumienie **hałasów**
hamak
spadł z **hamaka**, leżał w **hamaku**, rozwiesili **hamaki**, para **hamaków**
hamulec
pedał **hamulca**, wózek z **hamulcem**, ręczne **hamulce**, przegląd **hamulców**
handel
na placu nie ma **handlu**
handlarka
stragan **handlarki**, spór z **handlarką**, kilka **handlarek**
handlarz
fartuch **handlarza, handlarze** na targu, budki **handlarzy**
hangar
wejście do **hangaru**, stali przed **hangarem**, ogromne **hangary**, wejścia do **hangarów**

H piszemy na początku wielu wyrazów pochodzenia obcego.

harcerz

przysięga **harcerza**, harcerka z **harcerzem**, **harcerze** na szlaku, zbiórka **harcerzy**

hardy człowiek, **hardzi** ludzie

harmider

nie znoszę **harmidru** lub **harmideru**, nie mogę pracować w **harmidrze** lub w **harmiderze**, z **harmidrem** lub z **harmiderem** za pan brat

harmonia

melodia **harmonii**, śpiewak z **harmonią**, niebiańskie **harmonie**, kilka **harmonii**

Na harmonii w filharmonii
grał mazurki pan Hieronim.

hartować

hartuję, hartujesz, hartuj!, hartował, hartowali

hasło

brak **hasła** jest niebezpieczny, znaki w **haśle**, nieznajomość **haseł**, kłódki z **hasłami**

heca

koniec tej **hecy**, wyprawiali **hece**, dosyć już tych **hec**

hej!

hejnał

melodia **hejnału**, popołudnie z **hejnałem**, **hejnały** miast, tradycja **hejnałów**

hektar

pół **hektara**, na **hektarze** gospodarzę, **hektary** pola, ile **hektarów** ma to pole?

helikopter

pilot **helikoptera**, leciał **helikopterem**, **helikoptery** wojskowe, lotnisko **helikopterów**

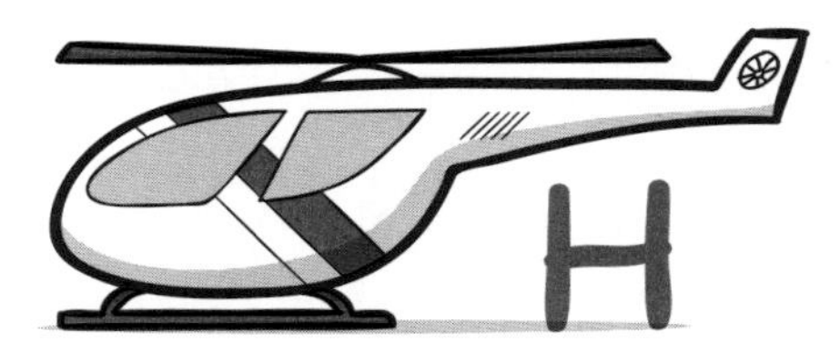

hełm

kolor **hełmu**, głowa w **hełmie**, **hełmy** żołnierzy, rozmiary **hełmów**

herb

nadanie **herbu**, smok w **herbie**, **herby** miast, kolekcjonowanie **herbów**

herbata

parzenie **herbaty**, filiżanka z **herbatą**, paproch w **herbacie**, wybór **herbat**

herbatnik
kształt **herbatnika**, kawa z **herbatnikiem**, **herbatniki** kokosowe, smak **herbatników**

hetman
rozkaz **hetmana**, potyczka z **hetmanem**, dwaj **hetmani** lub **hetmanowie**, konie **hetmanów**

hiacynt
sadzonka **hiacynta** lub **hiacyntu**, z **hiacyntem** w dłoni, **hiacynty** w wazonie, pęk **hiacyntów**

hiena
chichot **hieny**, nie bądź **hieną**, czytać o **hienie**, stado **hien**

higiena
brak **higieny** osobistej, z **higieną** za pan brat, wykład o **higienie**

higienistka
fartuch **higienistki** szkolnej, kwiaty dla **higienistek**

hipopotam
wybieg **hipopotama**, breloczek z **hipopotamem**, **hipopotamy** w błocie, waga **hipopotamów**

Gdy hipopotamowi
wypadł ząb trzonowy,
udał się do higienistki
po środek przeciwbólowy.

historia
lekcja **historii**, zabawa z **historią**, stare **historie**, zapomnij o tych **historiach**

Hiszpania
przyjaciel z **Hiszpanii**, mecz z **Hiszpanią**, piękna **Hiszpanka**, waleczny **Hiszpan**, taniec **hiszpański**, **hiszpańskie** melodie

hobby
mam **hobby**, opowiadał o swoim **hobby**

hodować
hoduję, hodujesz, hoduj!, hodował, hodowali

hokeista
kij **hokeisty**, był **hokeistą**, polscy **hokeiści**, drużyna **hokeistów**

hokej
gra w **hokeja**, oglądali wspaniały **hokej**

hol (korytarz)
kwiaty w **holu**, apartament z **holem**, duże **hole**, wystrój **holów** lub **holi**

hol (przyrząd)
samochód na **holu**, bezpieczne **hole**, kilka **holów**

Holandia
hymn **Holandii**, sojusz z **Holandią**, miła **Holenderka**, zdolny **Holender**, Latający **Holender**, **holenderskie** krowy, obrazy **holenderskich** mistrzów

Wielką literą piszemy nazwy **państw** i **mieszkańców państw**.

hołd
w geście **hołdu**, w **hołdzie** cesarzowi, **hołdy** składane władcy, miał już dość **hołdów**

homogenizowany serek, śmietana **homogenizowana**

honor
słowo **honoru**, skaza na **honorze**, czyniła **honory** pani domu, oddawanie **honorów**

honorowy kodeks, bardzo **honorowi** ludzie

horoskop
autor **horoskopu**, kolumna z **horoskopem**, dobre **horoskopy**, nie czytywał **horoskopów**

horyzont
linia **horyzontu**, statek na **horyzoncie**; szerokie **horyzonty**, brak **horyzontów**

H piszemy na początku wielu wyrazów pochodzenia obcego.

hotel
właściciel **hotelu**, przed **hotelem**, ekskluzywne **hotele**, dużo **hoteli** lub **hotelów**

hrabia
pałac **hrabiego** lub **hrabi**, ślub z **hrabią**, polscy **hrabiowie**, siedziba **hrabiów**

hrabina
herbatka z **hrabiną**, opowiadał **hrabinie**, **hrabiny** noszą krynoliny, plotki **hrabin**

huba
zobaczyć **hubę**, **huby** na drzewach, zbieranie **hub**

huczeć
huczę, huczysz, hucz!, huczał, huczeli

huk
bez **huku**, wyleciał z **hukiem**, **huki** i wrzaski, wiele **huków**

hulać
hulam, hulasz, hulaj!, hulał, hulali

hula-hoop
kolorowe **hula-hoop**, kręcić **hula-hoop**, bawić się **hula-hoop**

hulajnoga
nie mam **hulajnogi**, chłopiec z **hulajnogą**, jazda na **hulajnodze**, kilka **hulajnóg**

Jedzie hrabina na hulajnodze,
choć do chirurga
jej nie po drodze.

humor
nie miał dobrego **humoru**, być nie w **humorze**, złe **humory**, uciążliwość złych **humorów**

huragan
zapowiedź **huraganu**, groźne **huragany**, siła **huraganów**, zabezpieczenie przed **huraganami**

hurtownia
kierownik **hurtowni**, ciężarówka przed **hurtownią**, **hurtownie** mrożonek, zapasy w **hurtowniach**

huśtać
huśtam, huśtasz, huśtaj!, huśtał, huśtali

huśtawka
dziecko na **huśtawce**, **huśtawki** w parku, oparcia **huśtawek**, siedzą na **huśtawkach**

huta
pracuję w **hucie**, ogromne **huty**, nazwy **hut**, piece w **hutach**

W okolicach huty
stał hydrant zepsuty,
a hydraulików wielu
siedziało obok w hotelu.

hutnik

zawód **hutnika**, zostanę **hutnikiem**, **hutnicy** z huty szkła, pochód **hutników**

hydrant

woda z **hydrantu**, zawór na **hydrancie**, **hydranty** na ulicy, zawory **hydrantów**

hydraulik

zatrudnię **hydraulika**, mój tata jest **hydraulikiem**, **hydraulicy** są poszukiwani, narzędzia **hydraulików**

hymn

melodia **hymnu**, rozpocząć olimpiadę **hymnem**, **hymny** narodowe, kilka **hymnów**

I

ideał (człowiek idealny, doskonały)
szukam **ideała** lub **ideału**, jestem **ideałem**, na tym świecie brakuje **ideałów**

ideał (wzór)
nie mam **ideału**, marzyć o **ideale**, szukam **ideałów**

igrzyska
uczestnicy **igrzysk**, udział w **igrzyskach**

in. (czytaj: **inni** lub **inne**)

ileż razy mogę powtarzać!

iloczyn
obliczanie **iloczynu**, liczba jest **iloczynem**, sprawdzać **iloczyny**, suma **iloczynów**

iloraz
nie znam **ilorazu** tych liczb, ułamek jest **ilorazem**, uczyć się o **ilorazie**, suma **ilorazów**

ilustracja
kolory **ilustracji**, podpis pod **ilustracją**, autor **ilustracji**, książka z **ilustracjami**

im. (czytaj: **imienia**)
Teatr **im.** Stanisława Wyspiańskiego

imię
nie znam jej **imienia**, kłopot z **imieniem**, trudne **imiona**, słownik **imion**

Indianin
imię **Indianina**, jestem **Indianinem**, **Indianie** na prerii, plemię **Indian**, **indiański** strój, **indiańskie** zwyczaje, w **indiańskich** pióropuszach

Przyszła kura do indyka,
powiedziała:
„Niech pan zmyka,
bo Indianin jest tuż-tuż,
błysnął w jego ręku nóż!”.

indyk
upiec **indyka**, kolacja z **indykiem**, **indyki** i indyczki, hodowla **indyków**

instrument
dźwięk **instrumentu**, grał na **instrumencie**, **instrumenty** dęte, wypożyczalnia **instrumentów**

inteligencja
iloraz **inteligencji**, rozwijać **inteligencję**, człowiek o wysokiej **inteligencji**

inteligentny chłopiec, **inteligentni** studenci, delfin jest **inteligentniejszy** od psa

Om, **on**, **em**, **en** piszemy w wyrazach pochodzenia obcego, zgodnie z wymową.

inżynier
żona **inżyniera**, wuj był **inżynierem**, główni **inżynierowie**, projekty **inżynierów**

Zawołali ważnego inżyniera,
który rybne konserwy już otwierał.

iskra
świeca z **iskrą**, zapalające **iskry**, snop **iskier**, ruszył z **iskrami**

iskrzyć się
iskrzę się, iskrzysz się, iskrz się!, iskrzył się, iskrzyli się

iść
idę, idziesz, idź!, szedł, szli

itd. (czytaj: **i tak dalej**)

itp. (czytaj: **i tym podobne**)

iż
niektórzy nie rozumieją, **iż** nauka ortografii jest ważna

J

ja

przyjdź do **mnie**, obiecaj **mi** poprawę, obiecaj **mnie**, nie jemu, chodź ze **mną**, bądź przy **mnie**

jabłko

ogonek **jabłka**, robak w **jabłku**, kosz **jabłek**, skórka na **jabłkach**

jabłoń

kwiat **jabłoni**, jabłka pod **jabłonią**, **jabłonie** w sadzie, pszczoły na **jabłoniach**

Jagiełło

życie Władysława **Jagiełły**, wojna z Władysławem **Jagiełłą**, opowiedz o Władysławie **Jagielle**

jagnię

matka **jagnięcia**, **jagnięta** w obórce, stado **jagniąt**, owce z **jagniętami**

jagoda

zerwać **jagodę**, plama po **jagodzie**, dojrzałe **jagody**, kobiałka **jagód**

jak gdyby nigdy nic

jakby nikt nie przyszedł, to się nie martw

jałmużna

trudno wyżyć z **jałmużny**, proszę o **jałmużnę**

jałowiec

krzew **jałowca**, pod **jałowcem**, małe **jałowce**, zapach **jałowców**

jarzeniówka

światło **jarzeniówki**, lampa z **jarzeniówką**, zakup **jarzeniówek**, sufit w **jarzeniówkach**

jarzębina

drzewo **jarzębiny**, **jarzębinie** opadły liście, korale **jarzębin**, ptaki na **jarzębinach**

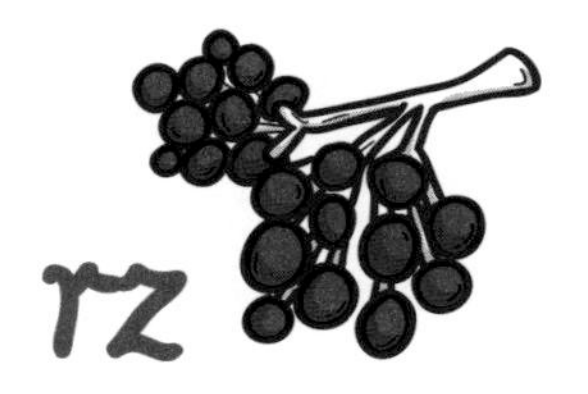

jarzyć się

jarzy się, jarzą się, jarz się!, jarzył się, jarzyli się

jarzyna
pokroić **jarzynę**, **jarzyny** w zupie, bukiet **jarzyn**, królik w **jarzynach**

jasełka
uczestnicy **jasełek**, kolędnicy z **jasełkami**

jaskier
kwiat **jaskra**, biedronka na **jaskrze**, **jaskry** na łące, pęk **jaskrów**

jaskinia
turysta wszedł do **jaskini**, czekał przed **jaskinią**, **jaskinie** głębokie, przewodnik po **jaskiniach**

jaskółka
lot **jaskółki**, leciał **jaskółką**, gniazda **jaskółek**, piórka na **jaskółkach**

jasno płonący ogień

jasnoczerwony sweterek

jasnowłosy kot, **jasnowłosi** chłopcy

jastrząb
lot **jastrzębia**, herb z **jastrzębiem**, **jastrzębie** w rezerwacie, ochrona **jastrzębi**

jaszczurka
jaszczurce złamał się pazurek, wygrzewające się **jaszczurki**, gatunki **jaszczurek**, terrarium z **jaszczurkami**

Jaszczurka
w jasnoczerwonym sweterku
jeździła zgrabnie
na małym rowerku.

jechać
jadę, jedziesz, jedź!, jechał, jechali

jedenastka
brakuje **jedenastki**, kropka po **jedenastce**, kilka **jedenastek** w słupku

jedenaście jabłek, w ciągu **jedenastu** dni, z **jedenastoma** lub z **jedenastu** zawodnikami

Jedenastego
w poniedziałek styczniowy
jednorożce zapadły
w sen zimowy.

jedenaścioro dzieci,
jedno z **jedenaściorga** kurcząt, z **jedenaściorgiem** rodzeństwa

jednocześnie wrzasnęli obaj panowie

jednoczęściowy kostium kąpielowy

jednodniowy rajd

jednogłośnie wybrano prezesa

jednorożec
róg **jednorożca**, sen o **jednorożcu**, **jednorożce** przynoszą szczęście, magia **jednorożców**

jemioła
krzew **jemioły**, pocałunek pod **jemiołą**, ptak na **jemiole**, owoce **jemioły**, tyle **jemioł** na drzewach

jemiołuszka
piórka **jemiołuszki**, kawka z **jemiołuszką**, mówić o **jemiołuszce**, ziarno dla **jemiołuszek**

Jerzy
imieniny **Jerzego**, mówił o **Jerzym**, dwaj **Jerzowie**, nie było **Jerzych**

jesienny nastrój, **jesienni** solenizanci

jesień
czas **jesieni**, **jesienią** tego roku, kolorowe **jesienie**, wiersz o **jesieniach**

jeść
jem, jesz, jedz!, jadł, jedli

jeśli nikt nie zaśpiewa, będzie smutno

jezioro
jezioro Mamry, woda w **jeziorze**, mazurskie **jeziora**, jachty na **jeziorach**

jeździć
jeżdżę, jeździsz, jeźdź!, jeździł, jeździli

jeż
kolce **jeża**, bajka o **jeżu**, **jeże** leśne, kilka **jeży** lub **jeżów**

jeżeli pieklą się anieli, to nikt ich nie rozweseli

jeżozwierz
kolce **jeżozwierza**, **jeżozwierze** w zoo, niedużo **jeżozwierzy**

Jeżozwierz był miły
i strzygł się na jeża,
podjadał jogurty,
ale się nie zwierzał.

jeżyna
zerwać **jeżynę**, **jeżyny** ze śmietaną, konfitury z **jeżyn**, placek z **jeżynami**, jeż w **jeżynach**

jęczeć
jęczę, jęczysz, jęcz!, jęczał, jęczeli

jęk
wyrwał ząb bez **jęku**, padł z **jękiem**, bolesne **jęki**, odgłosy **jęków**

jęknąć
jęknę, jękniesz, jęknij!, jęknął, jęknęli

jogurt
smak **jogurtu**, śniadanie z **jogurtem**, płatki w **jogurcie**, **jogurty** owocowe, reklama **jogurtów**

Józef
jubileusz **Józefa**, przyszedł z **Józefem**, sławni **Józefowie**, znam kilku **Józefów**

Wielką literą piszemy **imiona** i **nazwiska** ludzi, zwierząt, zabawek, roślin.

jubiler
zakład **jubilera**, Zenon jest **jubilerem**, **jubilerzy** z ul. Złotej, profesja **jubilerów**

jubileusz
życzenia z okazji **jubileuszu**, **jubileusze** miast, dość mam tych **jubileuszy** lub **jubileuszów**

juhas
pies **juhasa**, pieśń o **juhasie**, dwaj **juhasi**, owce **juhasów**

Juhasi na jutrzenkę czekali
i na jutro wszystko przekładali.

jutro
czekam do **jutra**, myśleć o **jutrze**

jutrzejszy występ, **jutrzejsza** uroczystość, **jutrzejsi** goście

jutrzenka
blask **jutrzenki**, wraz z **jutrzenką**, tuż po **jutrzence**, pora **jutrzenek**

już zbladł mały tchórz

K

kaczątko

kaczy chód **kaczątka**,
baśń o Brzydkim **Kaczątku**,
dwa **kaczątka**, kaczka
z **kaczątkami**

kaczuszka

zabawy z **kaczuszką**, dwie
kaczuszki, piórka **kaczuszek**,
kaczka z **kaczuszkami**

kajakarz

nazwisko **kajakarza**, ślub
z **kajakarzem**, dwaj **kajakarze**,
wywiad z **kajakarzami**

Rz piszemy w wyrazach zakończonych na **-arz**, **-erz**, które wymieniają się na **r**.

kakao

napijmy się **kakao**, wypij
kakao, kubek z **kakao**, kożuch
na **kakao**

kaktus

kwiat **kaktusa**, kolce na
kaktusie, **kaktusy** w doniczkach,
wystawa **kaktusów**, książki
o **kaktusach**

kalendarz

druk **kalendarza**, notatki
w **kalendarzu**, **kalendarze**
ścienne, zdjęcia w **kalendarzach**

*W kalendarium kalendarza
czasem jakiś błąd się zdarza.*

kaloryfer

montaż **kaloryfera**, woda
w **kaloryferze**, **kaloryfery**
w pokoju, awaria **kaloryferów**

kałuża

omijanie **kałuży**, zatrzymał się
przed **kałużą**, **kałuże** po burzy,
spacer po **kałużach**

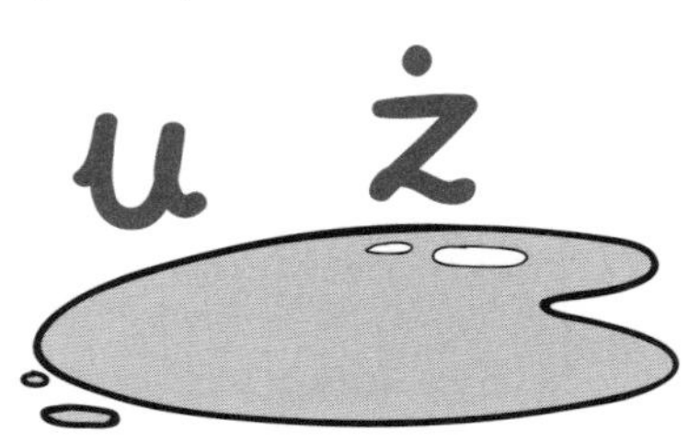

kapelusz

rondo **kapelusza**, **kapelusze**
słomkowe, ozdoby **kapeluszy**,
panowie w **kapeluszach**

kaptur

bluza bez **kaptura**, mnich
w **kapturze**, **kaptury**
zakonników, kilka **kapturów**,
z opuszczonymi **kapturami**

kapusta
główka **kapusty**, kupił **kapustę**, surówka z **kapustą**, zając w **kapuście**

karuzela
jeździli na **karuzeli**, park z **karuzelą**, dwie **karuzele**, kilka **karuzeli** lub **karuzel**, dzieci na **karuzelach**

kawka
pisklęta **kawki**, piosenki o **kawce**, herb z **kawką**, stadko **kawek**

Aniela Kawka jeździła
wciąż na karuzeli,
aż wszyscy bileterzy
o niej zapomnieli.

kazać
każę, każesz, każ!, kazał, kazali

Kazimierz (imię)
imieniny **Kazimierza**, spacer z **Kazimierzem**, weseli **Kazimierzowie**, dwóch **Kazimierzów**

Kazimierz (miasto)
Kazimierz Dolny, wyjazd do **Kazimierza**

każdy wie najlepiej, **każdego** dnia czuję się lepiej, z **każdym** dniem umiem coraz więcej

kąpielówki
zapomniał **kąpielówek**, stoisko z **kąpielówkami**, wzorki na **kąpielówkach**

kąt
idź do **kąta**, stał w **kącie**, cztery **kąty**, dużo **kątów**, przyglądał się **kątom**, kwiaty w **kątach**

kefir
nie lubię **kefiru**, ziemniaki z **kefirem**, coś pływa w **kefirze**, zimne **kefiry**, kilka **kefirów**

kemping
zatrzymali się na **kempingu**, ceny **kempingów**

Om, on, em, en piszemy w wyrazach pochodzenia obcego, zgodnie z wymową.

kg (czytaj: **kilogram**)
1,5 **kg** – półtora **kilograma**,
5 **kg** – pięć **kilogramów**

kierowca
samochód z **kierowcą**,
kierowcy zawodowi, dwóch
kierowców

kierunek
z **kierunku** północnego,
pod **kierunkiem** dyrygenta,
w dobrym **kierunku**, **kierunki**
świata, wybór **kierunków**

kierunkowskaz
nie włączył **kierunkowskazu**,
dał znak **kierunkowskazem**,
kierunkowskazy auta, awaria
kierunkowskazów

kij
końce **kija**, wspierać się na **kiju**,
kije samobije, nazbierał **kijów**,
popychali łódź **kijami**

kilkadziesiąt sklepów,
kilkudziesięciu chłopców,
z **kilkudziesięcioma** lub
z **kilkudziesięciu** osobami

kilkanaście złotych, **kilkunastu**
prezydentów, z **kilkunastoma**
lub z **kilkunastu** premierami

kilkaset miast, **kilkuset** sędziów,
z **kilkuset** osobami

kilkuletni chłopiec,
grupa **kilkuletnich** malców,
z **kilkuletnimi** psami

kilkugodzinny korek

kilkunastostopniowy mróz

kilkupiętrowy budynek

kilogram
brak jednego **kilograma**,
z **kilogramem** cukru, **kilogramy**
kiełbasy, kilka **kilogramów**

kiosk
zaopatrzenie **kiosku**, stoimy
przed **kioskiem**, **kioski** „Ruchu",
dostarczać prasę do **kiosków**

klasówka
kłopot z **klasówką**, błąd
w **klasówce**, **klasówki**
z matematyki, sprawdzanie
klasówek

Klasówka bez komentarza –
to się bardzo rzadko zdarza!

klaun
występ **klauna**, zabawy
z **klaunem**, cyrkowi **klauni**,
kostiumy **klaunów**

Przyszedł klaun do kiosku
kupić maskę z wosku.

klient

dbać o **klienta**, był miłym **klientem**, mówił o **kliencie**, **klienci** supermarketów, ankieta wśród **klientów**

klomb

zakładanie **klombu**, kwiaty na **klombie**, zadbane **klomby**, pielęgnowanie **klombów**

klub

nazwa **klubu**, awantura w **klubie**, **kluby** taneczne, członkowie **klubów**

klucz

nie mam **klucza**, **klucze** w torebce, dorabianie **kluczy**, breloczek z **kluczami**

klusek

kawałek **kluska**, miska **klusków**

kluska

marzył o **klusce**, leniwe **kluski**, miska **klusek**, zupa z **kluskami**

kładka

przejść przez **kładkę**, dziura w **kładce**, nowe **kładki**, brakuje **kładek**

kłamczuch

opowieść **kłamczucha**, jesteś **kłamczuchem**, dwa **kłamczuchy**, historia **kłamczuchów**

U piszemy w wyrazach zakończonych na: -uch, -unio, -unia, -usia, -us,-uszek, -uś, -utki.

kłębek

po nitce do **kłębka**, kotek bawił się **kłębkiem**, **kłębki** wełny, brak trzech **kłębków**

kłócić się

kłócę się, kłócisz się, kłóć się!, kłócił się, kłócili się

kłódka

kluczyk z **kłódką**, zamykanie na **kłódkę**, dwie **kłódki**, sklep z **kłódkami**

km (czytaj: **kilometr**)
2 **km** – dwa **kilometry**,
5 **km** – pięć **kilometrów**

kochać
kocham, kochasz, kochaj!, kochał, kochali

kolejarz
zapytaj **kolejarza**, rozmawiał z **kolejarzem**, **kolejarze** w pociągach, informacje o **kolejarzach**

koleżanka
zwierzać się **koleżance**, moje **koleżanki** z klasy, spotkanie **koleżanek**, opowiadać o **koleżankach**

Ż piszemy, gdy w formach tego samego wyrazu lub w wyrazach pokrewnych ulega wymianie na: **g**, **h**, **s**, **z**, **ź**, **dz**.

kołnierz
płaszcz bez **kołnierza**, kurtka z **kołnierzem**, nitka na **kołnierzu**, futrzane **kołnierze**

komentarz
zostawić bez **komentarza**, lektury z **komentarzem**, **komentarze** są zbędne, w **komentarzach** do wydarzeń

komora
przed **komorą**, przebywać w **komorze**, dwie **komory** serca, kilka **komór**, w obu **komorach**

komórka
zapasy w **komórce**, **komórki** wiewiórek; przeszczep **komórek**; badania nad **komórkami** macierzystymi; podaj mi numer swojej **komórki**, dzwoń na **komórkę**, korzysta z kilku **komórek**, sklep z **komórkami**

kompania
z miłą **kompanią**, w **kompanii** przyjaciół; **kompanie** honorowe

kompas
bez **kompasu** ani rusz, podróżuję z **kompasem**, kierunek na **kompasie**, dwa **kompasy**, igły **kompasów**

komputer
ekran **komputera**, drukarka z **komputerem**, dwa **komputery**, obsługa **komputerów**

komunia
przystąpić do **komunii**, przyjąć **komunię**, pierwsze **komunie**, uroczystości po **komuniach**

komunikacja
komunikacja lądowa, brak **komunikacji**, kłopoty z **komunikacją**

koncert
wysłuchali **koncertu**, udział w **koncercie**, gościnne **koncerty**, organizowanie **koncertów**

konduktor
mundur **konduktora**, panie **konduktorze**, mili **konduktorzy**, dwóch **konduktorów**, mówił o **konduktorach**

konferencja
temat **konferencji**, **konferencje** międzynarodowe, wiele **konferencji**

konfitura
słoiki po **konfiturze**, śliwkowe **konfitury**, smażenie **konfitur**, pestki w **konfiturach**

koniczyna
zrywać **koniczynę**, koń w **koniczynie**, gatunki **koniczyn**, owady w **koniczynach**

konkurs
zwycięzca **konkursu**, udział w **konkursie**, **konkursy** recytatorskie, finały **konkursów**

kontrabas
budowa **kontrabasu**, grał na **kontrabasie**, lubił dźwięki **kontrabasów**

Om, **on**, **em**, **en** piszemy w wyrazach pochodzenia obcego, zgodnie z wymową.

kontrola
bilety do **kontroli**, przeprowadzić **kontrolę**, mieć wszystko pod **kontrolą**, ile jeszcze **kontroli** przed nami?

kontynent europejski, powrót z Czarnego **Kontynentu**, na **kontynencie**, zwiedzać różne **kontynenty**, kilka **kontynentów**

koń
maść **konia**, wóz z **koniem**, **konie** w stadninie, stado **koni**, był zakochany w **koniach**

końcówka
w **końcówce** peletonu, krótkie **końcówki**, nie znosił **końcówek**, błędy w **końcówkach**

korzeń
długość **korzenia**, pietruszka z **korzeniem**, witaminy w **korzeniu**, **korzenie** drzewa

korzyść
chęć **korzyści**, sprzedał z **korzyścią**, rozmawiali o **korzyściach** finansowych

kosmonauta
kombinezon **kosmonauty**, ojciec był **kosmonautą**, **kosmonauci** w kosmosie, rakiety **kosmonautów**

Kosmos lub **kosmos**
czy to przybysze z **Kosmosu**?, lot w **Kosmos**, wystrzelić rakietę w **kosmos**, satelity w **kosmosie**

koszula
kołnierzyk **koszuli**, brudne **koszule**, stos **koszul**, plamy na **koszulach**

koszykarz
nazwisko **koszykarza**, wywiad z **koszykarzem**, **koszykarze** międzynarodowych drużyn, rozmowy o **koszykarzach**

Rz piszemy w wyrazach zakończonych na **-arz**, **-erz**, które wymieniają się na **r**.

koszykówka
mecze **koszykówki**, gramy w **koszykówkę**, interesuję się **koszykówką**

kościół
budowa **kościoła**, ślub w **kościele**, drewniane **kościoły**, dzwony **kościołów**

kożuch
nie lubił **kożucha**, cieplej w **kożuchu**, fasony **kożuchów**; **kożuchy** na mleku

Kiedy wypił mleko duszkiem,
to zakrztusił się kożuszkiem.

kółko
zabawa z **kółkiem**, rysował **kółka**, wymiana **kółek**; w **kółku** muzycznym

kózka

różki **kózki**, koza z **kózką**, bajka o **kózce**, stadko **kózek**, bajka o **kózkach**

kra

tej zimy nie ma **kry** na rzece, rzeka z **krą**, płynął na **krze**

kradzież

informacja o **kradzieży**, małe **kradzieże**, dużo **kradzieży**, zapobiegać **kradzieżom**

krajobraz

krajobrazu czar, niepokój w **krajobrazie**, **krajobrazy** jesienne, piękno **krajobrazów**

Kraków

zwiedzanie **Krakowa**, byliśmy w **Krakowie**, **krakowiak** z **krakowianką**, strój **krakowski**, na **krakowskim** rynku

krasnoludek

czapka **krasnoludka**, został **krasnoludkiem**, **krasnoludki** są uczynne, kryjówki **krasnoludków**

krawędź

nad **krawędzią**, spacery po **krawędzi**, ostre **krawędzie**, na **krawędziach** łyżew

krawężnik

spadł z **krawężnika**, przysiadł na **krawężniku**, szerokie **krawężniki**, chodzą po **krawężnikach**

krąg

wypadli z **kręgu**, poza **kręgiem**, stali w **kręgu**; **kręgi** szyjne; w **kręgach** towarzyskich

krążyć

krążę, krążysz, krąż!, krążył, krążyli

kreda

zamazane **kredą**, ślady po **kredzie**, pudełko **kredy**

kręgosłup

choroba **kręgosłupa**, kłopoty z **kręgosłupem**, **kręgosłupy** ssaków, masowanie **kręgosłupów**

kroić

kroję, kroisz, krój!, kroił, kroili

krój

kurs **kroju**, forma z **krojem**, modne **kroje**, kilka **krojów**

król

wybór **króla**, obiad z **królem**, odważni **królowie**, poddani **królów**

Krasnal po kursie kroju i szycia
uszył królowi modne okrycia.

królestwo

królewna wraz z **królestwem**, panika w **królestwie**, małe **królestwa**, pałace w **królestwach**

królewicz

szabelka **królewicza**, polowanie z **królewiczem**, najmłodsi **królewicze**, portrety **królewiczów**

królewna

zabawa w **królewnę**, była **królewną**, kaprysy **królewien**, bajki o **królewnach**

królik

wąsy **królika**, zabawa z **królikiem**, puchate **króliki**, łapki **królików**

Para królików
z kilkuletnim stażem
podróżowała
po Europie z bagażem.

krótki początek, **krótszy** koniec, **najkrótszy** wiersz

> **ó** piszemy, gdy w innych formach tego samego wyrazu lub w wyrazach pokrewnych następuje wymiana na litery: **o**, **a**, **e**.

kruchy dzbanek, **kruchsze** ciasteczko

kruk

dziób **kruka**, wrona z **krukiem**, **kruki** na drzewie, dokarmianie **kruków**

kryjówka

zatrzymał się przed **kryjówką**, siedzimy w **kryjówce**, **kryjówki** w lesie, schronienie w **kryjówkach**

krzak
obok **krzaka** lub **krzaku**, walka z **krzakiem**, **krzaki** głogu, dużo **krzaków**, zaplątany w **krzakach**

krzesło
nogi **krzesła**, siedzimy na **krześle**, wystawa **krzeseł**, sklep z **krzesłami**

krzew
kolce **krzewu**, liście pod **krzewem**, ozdobne **krzewy**, zieleń **krzewów**

krzyczeć
krzyczę, krzyczysz, krzycz!, krzyczał, krzyczeli

krzyk
nie usłyszał **krzyku**, wybiegli z **krzykiem**, **krzyki** z podwórka, dość już tych **krzyków**

krzyknąć
krzyknę, krzykniesz, krzyknij!, krzyknął, krzyknęli

Krzysztof
imieniny **Krzysztofa**, spotkanie z **Krzysztofem**, podobni **Krzysztofowie**, zawołaj **Krzysztofów**

krzywda
poczucie **krzywdy**, zapomniał o **krzywdzie**, wyrządził wiele **krzywd**

krzywy ząb, bardziej **krzywi**

krzyż
znak **krzyża**, figura z **krzyżem**, **krzyże** na cmentarzu; ból w **krzyżu**

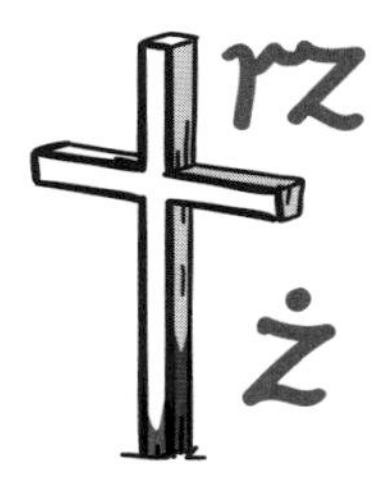

krzyżówka
rozwiązanie **krzyżówki**, hasła w **krzyżówce**, magazyn **krzyżówek**, wyrazy w **krzyżówkach**

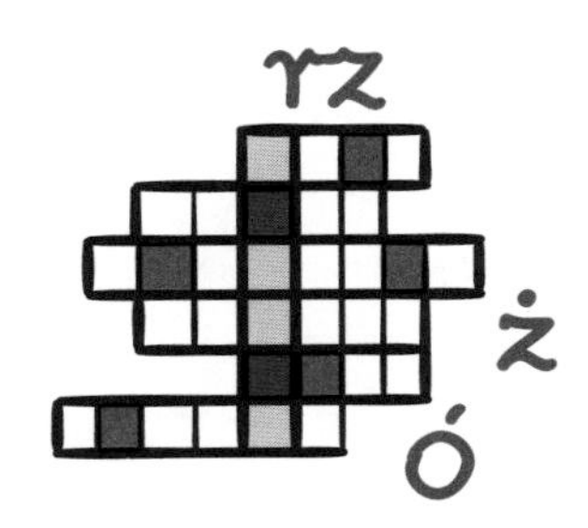

ks. (czytaj: **ksiądz** lub **książę**)
ks. Józef Kropidło (**ksiądz**), **ks.** Fabian Kareta (**książę**)

ksiądz
wezwano **księdza**, pielgrzymka z **księdzem**, **księża** zakonni, zostali **księżmi**

książę
pałac **księcia**, herbatka z **księciem**, **książęta** z rodu Jagiellonów, posiadłości **książąt**

Kiedyś Mały Książę
o wesołej twarzy
o wyprawie na księżyc
bardzo długo marzył.

książka
obwoluta **książki**, marzył o **książce**, tytuły **książek**, stoisko z **książkami**

Księżyc (naturalny satelita Ziemi)
pełnia **Księżyca**, zaćmienie **Księżyca**, lądowanie na **Księżycu**

księżyc
księżyc na niebie świeci, „dwa obaczysz **księżyce**", kilka **księżyców**

kształcić się
kształcę się, kształcisz się, kształć się!, kształcił się, kształcili się

kształt
nadawanie **kształtu**, w **kształcie** dzbana, krągłe **kształty**, podziwianie **kształtów**

WYJĄTEK!
Po spółgłoskach **k**, **p**, **w** piszemy niekiedy **sz**.

kszyk (ptak)
długi dziób **kszyka**, **kszyki** pod ścisłą ochroną, krzyk **kszyków**

który przedmiot, **którzy** ludzie

któż to do nas zawitał?

kubek
uszko **kubka**, **kubki** ceramiczne, kolory **kubków**, herbata w **kubkach**

kucharz
popisowe danie **kucharza**, dziadek był **kucharzem**, **kucharze** na statku, kunszt chińskich **kucharzy**

kuchnia
wystrój **kuchni**, **kuchnie** dębowe, pokoje z **kuchniami**, stoły w **kuchniach**

kufer
poszukiwania **kufra**, pasażer na gapę w **kufrze**, **kufry** podróżne, zabrakło **kufrów**, garderoba w **kufrach**

kukiełka
„rozmowy” z **kukiełką**, pakuły w **kukiełce**, **kukiełki** w teatrzyku, ozdoby na **kukiełkach**

kukułka
kukanie **kukułki**, zegar z **kukułką**, bajka o **kukułce**, pisklęta **kukułek**, historie o **kukułkach**

kukurydza
kolba **kukurydzy**, worki z **kukurydzą**, dwie **kukurydze**

kula
kształt **kuli**, rzucił **kulą**, szklane **kule**; chodził o **kulach**

kultura
dofinansowanie **kultury**, zasłużyć się **kulturze**, **kultury** starożytne, poznawanie **kultur**; z **kulturą** osobistą

kulturalny starszy pan, **kulturalni** ludzie, **kulturalniejszy** młodzieniec

kupić
kupię, kupisz, kup!, kupił, kupili

kura
rosół z **kury**, gęś z **kurą**, hodowla **kur**

kurczątko
kura z **kurczątkiem**, wielkanocne **kurczątka**, szereg **kurczątek**

Ą, ę piszemy, jeżeli ą wymienia się na ę lub odwrotnie.

kurtka
kieszeń w **kurtce**, puchowe **kurtki**, wybór **kurtek**, zamki w **kurtkach**

kurz
kłęby **kurzu**, ścieranie **kurzów**

kurzy pazur, pióra **kurze**

kwadrat
bok **kwadratu**, rysunek w **kwadracie**, dwa **kwadraty**, brakuje dwóch **kwadratów**

kwiaciarnia

bukiety w **kwiaciarni**, **kwiaciarnie** dworcowe, kilka **kwiaciarni**, kwiaty w **kwiaciarniach**

kwiat

kielich **kwiatu**, gałąź z **kwiatem**, płatki w **kwiecie**, **kwiaty** majowe, bukiet **kwiatów**

kwiecień

koniec **kwietnia**, z **kwietniem** zeszła się wiosna, wiosna w **kwietniu**, niegdysiejsze **kwietnie**, kilka **kwietni** lub **kwietniów**

L

l (czytaj: **litr**)
    5,5 **l** – pięć i pół **litra**

laurka
    mała **laurka**, prezent z **laurką**, **laurki** imieninowe, życzenia na **laurkach**

ląd
    widok **lądu**, osiedli na **lądzie**, dalekie **lądy**, brzegi **lądów**, na **lądach** i morzach

legenda
    miejsce z **legendą**, smok w **legendzie**, opowiada **legendy**, zbiór **legend**, prawda w **legendach**

Wszędzie legendy krążyły o ptaku,
który lekarza wyleczył z ataku.

legitymacja
    utrata **legitymacji**, kłopoty z **legitymacją**, **legitymacje** szkolne, pieczątki w **legitymacjach**

lek. (czytaj: **lekarz**)
    lek. medycyny Aspiryn Wapniak – **lekarz** medycyny Aspiryn Wapniak

lekarka
    gabinet **lekarki**, podziękować **lekarce**, rozmawiać z **lekarką**, opinie o **lekarkach**

lekarstwo
    przepisanie **lekarstwa**, fiolka z **lekarstwem**, zapachy **lekarstw**, półka z **lekarstwami**

lekarz
    wezwanie **lekarza**, pogadanka z **lekarzem**, **lekarze** weterynarii, opinie o **lekarzach**

Rz piszemy w zakończeniach **nazw zawodów**.

lekcja
    temat **lekcji**, przed **lekcją** biologii, **lekcje** fizyki, przeciążony **lekcjami** fortepianu

lekki krem, **lekcy** chłopcy, **lżejszy** od wiatru
lekko dmuchał, **lżej** na duszy
lektura
czytać **lekturę**, spis **lektur**, pomyłka w **lekturach**; był po **lekturze** gazety
leniuch
żartować z **leniucha**, Jaś jest **leniuchem**, **leniuchy** na kanapie, misie są **leniuchami**
lepszy (zobacz **dobry**)
leśniczówka
gospodarz **leśniczówki**, staw przed **leśniczówką**, bal w **leśniczówce**, zdjęcia **leśniczówek**
lew
wielkość **lwa**, spacer z **lwem**, młode **lwy**, nie drażnić **lwów**
leżak
stelaż **leżaka**, z **leżakiem** nad wodę, **leżaki** na plaży, skład **leżaków**

Historia leśniczego leniwego, który nie opuszczał leżaka plażowego.

leżeć
leżę, leżysz, leż!, leżał, leżeli
lęk
narastanie **lęku**, wchodzę z **lękiem**, **lęki** nocne, koniec **lęków**
liceum
uczyć się w **liceum**, **licea** zawodowe, uczniowie **liceów**, profesorowie uczą w **liceach**
liczba
z **liczbą** parzystą, zapomniał, o **liczbie**, dwie **liczby**, wiele **liczb**
lilia
bukiet z **lilią**, kwiaty **lilii**, **lilie** tygrysie, ropucha w **liliach**
linia
tuż za **linią**, na **linii** cięcia, **linie** papilarne, zapisywać w **liniach**
linijka
zakup **linijki**, mierzymy **linijką**, skala na **linijce**, używał **linijek**
listonosz
torba **listonosza**, dwaj **listonosze**, kilku **listonoszy** lub **listonoszów**

listopad
koniec **listopada**, święto w **listopadzie**, deszczowe **listopady**, smutna pora **listopadów**

Już w listopadzie, do lodówki
wstawił listonosz litr kremówki.

liść
herb z **liściem**, **liście** jeszcze zielone, sprzątanie **liści**, jeż w **liściach**

litr
pół **litra** mleka, w **litrze** śmietany, dwa **litry** wody, liczba **litrów**

LO (czytaj: **liceum ogólnokształcące**)
uczeń **LO** – uczeń **liceum ogólnokształcącego**

lodówka
kupno **lodówki**, zapasy w **lodówce**, pojemność **lodówek**, chłód w **lodówkach**

Londyn
dzielnice **Londynu**, muzea w **Londynie**, był **londyńczykiem**, ciemnoskóra **londynka**, **londyńska** mgła, **londyńskie** ulice

Wielką literą piszemy **nazwy miast**, ale ich **mieszkańców** już małą.

lód
kostki **lodu**, zamki na **lodzie**, podawać sok z **lodem**, jeść **lody**, porcja **lodów**

lub
bywało lepiej **lub** gorzej

lubić
lubię, lubisz, lub!, lubił, lubili

lud
głos **ludu**, wyruszył z **ludem**, **ludy** na ziemi, przywódca **ludów**

ludzie (zobacz: **człowiek**)
ludzie na stadionie, tłum **ludzi**, szedł z **ludźmi**, mówił o **ludziach**

lukier
ciasto z **lukrem**, pierniki w **lukrze**, kilka **lukrów**

lunatyk
spacer **lunatyka**, Lucjan jest **lunatykiem**, dwaj **lunatycy**, **lunatyków** Nocny Klub

lupa
wziąć muchę pod **lupę**, posługuję się **lupą**, soczewka w **lupie**, dwie **lupy**, brak **lup**

lustro
tafla **lustra**, obraz w **lustrze**, tysiące **luster**, odbijał się w **lustrach**

luty
dzień **lutego**, w **lutym** są moje urodziny

Pod koniec zimy
lutym się cieszymy.

luźny sweter, **luźne** kurtki, **luźniejsze** płaszcze

lżejszy (zobacz: **lekki**) od powietrza, **lżejsi** o gram

Ł

łabędź

pióra **łabędzia**, kaczki z **łabędziem**, **łabędzie** w parku, karmienie **łabędzi**

ładunek

ciężar **ładunku**, ukryć się pod **ładunkiem**, wybuchowe **ładunki**, ubezpieczenie **ładunków**

łakomczuch

brzuch **łakomczucha**, Henio jest **łakomczuchem**, wielkie **łakomczuchy**, apetyty **łakomczuchów**

łamigłówka

zadanie z **łamigłówką**, trudne **łamigłówki**, rozwiązywanie **łamigłówek**, szczegóły w **łamigłówkach**

łańcuch

przepiłowanie **łańcucha**, pies na **łańcuchu**, srebrne **łańcuchy**, ogniwa **łańcuchów**

Łańcuchy srebrzystych agrafek
wyłażą jak węże z szafek.

ławka

malowanie **ławki**, przeskoczył **ławkę**, w parku na **ławce**, dzieci siedzą w **ławkach**

łąka

leżę na **łące**, wiosenne **łąki**, tęsknię za **łąkami**, pastwiska na **łąkach**

łeb

łeb w łeb, szkoda **łba**, myśli we **łbie**, dwa **łby**, kilka **łbów**, stuknęły się **łbami** (krowy)

Spółgłoskę **dźwięczną** w zakończeniu wyrazu rozpoznamy, szukając wyrazów pokrewnych.

łebek

nie łam sobie **łebka**, szpilka z **łebkiem**, **łebki** piskląt, kilka **łebków**, gwoździe z **łebkami**

łezka

łezka w oczku dziecka, oparła się **łezce** wzruszenia, wspomina dzieciństwo z **łezką** w oku, dwie **łezki**, garstka **łezek**

łgarz

bajki **łgarza**, **łgarzem** był pan Hipolit, **łgarze** zmyślają, kłamstwa **łgarzy**

łobuz

matka **łobuza**, nie bądź **łobuzem**, pisali o **łobuzie**, dwa **łobuzy**, banda **łobuzów**

łodyga

kwiat na **łodydze**, cienkie **łodygi**, zerwano wiele **łodyg**, na wiotkich **łodygach**

łodyżka

listki na **łodyżce**, **łodyżki** tymianku, porzeczki z **łodyżkami**, kwiatki na **łodyżkach**

łosoś

tarło **łososia**, sałatka z **łososiem**, wędzone **łososie**, gatunki **łososi**

łoś

rogi **łosia**, myśliwy z **łosiem**, **łosie** w lesie, poroża **łosiów** lub **łosi**

Dwa zmarznięte łosie
marzyły o bigosie
grzybami pachnącym
i bardzo gorącym.

łódka

cumowanie **łódki**, pływamy **łódką**, siedział w **łódce**, wypożyczalnia **łódek**, pasażerowie w **łódkach**

Łódź (miasto)

wycieczka do **Łodzi**, mieszka pod **Łodzią**, miła **łodzianka**, sympatyczny **łodzianin**, **łódzki** przemysł odzieżowy, **łódzkie** przędzalnie

łódź

wyposażenie **łodzi**, płyną **łodzią**, **łodzie** sportowe, wędkarze w **łodziach**

łów

czas **łowu**, opowiadał o **łowie**, nie byle jakie **łowy**, przebieg **łowów**, po królewskich **łowach**

łóżko

leżę w **łóżku**, wyprowadza się z **łóżkiem**, **łóżka** szpitalne, ścielenie **łóżek**

łuk

ustrzelił ptaka z **łuku**; **łuki** brwiowe; obszedł mnie **łukiem**; wykreślanie **łuków** łupież

nie mam **łupieżu** na kołnierzu, walka z **łupieżem**

łyżka

jedz moją **łyżką**, kaszka na **łyżce**, srebrne **łyżki**, kluski na **łyżkach**

łyżwa

ostrzyć **łyżwę**, dwie **łyżwy**, nie mam **łyżew** lub **łyżw**, jazda na **łyżwach**

Jeździła łyżka na łyżwach żwawo, było to dla niej przednią zabawą.

łyżwiarz

taniec **łyżwiarza**, wywiad z **łyżwiarzem**, **łyżwiarze** na starcie, zwycięstwo **łyżwiarzy**

łza

ślad **łzy**, otarła **łzę**, wytarła ślad po **łzie**, **łzy** szczęścia, morze **łez**, tonie we **łzach**, zalewała się **łzami**

M

m (czytaj: **metr**, **metry**)
1,5 **m** – półtora **metra**, 5 **m** – pięć **metrów**

machać
macham, machasz, machaj!, machał, machali

macocha
rozmowy z **macochą**, mówiłam **macosze**, **macochy** sióstr, miała kilka **macoch**

mahoniowy stół, **mahoniowa** boazeria, **mahoniowe** meble

mahoń
kolor **mahoniu**, piękne **mahonie**

majówka
termin **majówki**, jedziemy na **majówkę**, byliśmy na **majówce**, wypoczynek podczas **majówek**

Na wiosennej majówce
żuczek skrył się
w makówce.

makówka
ziarenko w **makówce**, **makówki** jak główki, rzędy **makówek**, szelesty w **makówkach**

makulatura
zbiórka **makulatury**, oddawać papier na **makulaturę**, znalazłam w **makulaturze**

malarz
zatrudnię **malarza**, praca z **malarzem**, artyści **malarze**, plener z **malarzami**

Rz piszemy w zakończeniach **nazw zawodów**.

malować
maluję, malujesz, maluj!, malował, malowali

maluch
mama **malucha**, spacery z **maluchem**, dwa **maluchy**, ubranka **maluchów**, pogadanka o **maluchach**

Małgorzata
kwiaty dla **Małgorzaty**, mówił o **Małgorzacie**, imieniny **Małgorzat**, wspominał o **Małgorzatach**

Małopolska

granice **Małopolski**, w **Małopolsce**, miła **Małopolanka**, stary **Małopolanin**, województwo **małopolskie**

małpa

ręce **małpy**, z **małpą** na ramieniu, występy **małp**

małpi gaj, dostał **małpiego** rozumu, **małpie** figle

małż

muszla **małża**, **małże** z cytryną, połów **małży** lub **małżów**, perły w **małżach**

małżeństwo

zawieranie **małżeństwa**, mówił o **małżeństwie**, kilka **małżeństw**

mamusia

nie mam **mamusi**, spacer z **mamusią**, **mamusie** są kochane, bez **mamuś**, opowiemy wam o **mamusiach**

mamut

długie kły **mamuta**, opowieści o **mamucie**, wyginięcie **mamutów**

marchew

sok z **marchwi**, utrzeć **marchew**, worek z **marchwią**, dwie **marchwie**

marchewka

surówka z **marchewką**, witaminy w **marchewce**, **marchewki** dla królika, zające w **marchewkach**

martwić się

martwię się, martwisz się, martw się!, martwił się, martwili się

marynarz

statek **marynarza**, zakochała się w **marynarzu**, **marynarze** ze stażem, opowieści o **marynarzach**

marzanna

topienie **marzanny**, pochód z **marzanną**, słomiane **marzanny**, kilka **marzann**

marzec
słoneczne dni **marca**, w **marcu** jak w garncu, chłodne **marce**, minęło wiele **marców**

marzenie
to było jego **marzeniem**, ukryte **marzenia**, spełnienie **marzeń**, oddawać się **marzeniom**, tylko w **marzeniach**

marznąć (czytaj: **mar-znąć**)
marznę, marzniesz, marznij!, marzł lub marznął, marzli

marzyciel
pragnienia **marzyciela**, był **marzycielem**, **marzyciele** są niepoprawni, dwóch **marzycieli**

matura
termin **matury**, zdać **maturę**, stres na **maturze**, koniec **matur**

maturzysta
praca **maturzysty**, student kochała się w **maturzyście**, **maturzyści** na balu, anegdoty o **maturzystach**

mazać
mażę, mażesz, maż!, mazał, mazali

mazur (taniec)
figury **mazura**, bal z **mazurem**, tańczyć **mazury**, melodie **mazurów**

mazurek
kawałek **mazurka**, bakalie w **mazurkach**, wypiekanie **mazurków**; **mazurki** Chopina

Mazury (kraina geograficzna)
pozdrowienia z **Mazur**, wakacje na **Mazurach**, piękna **Mazurka,** **Mazur** tańczył mazury, **mazurskie** jeziora

Topił Mazur marzannę
co wiosnę,
śpiewał przy tym mazurki
radosne.

mądry człowiek, **mądrzy** ludzie, **mądrzejszy** od brata

mąka
kilogram **mąki**, przesiewać **mąkę**, z żytnią **mąką**, obtaczać kotlety w **mące**

mąż
wybór **męża**, wyjechała z **mężem**, jacy **mężowie**, takie żony, portrety **mężów**

mech
otulone **mchem**, grzyby rosną na **mchu**, miękkie **mchy**, zieleń **mchów**

mechanik
warsztat **mechanika**, rozmowa z **mechanikiem**, **mechanicy** samochodowi, warsztaty **mechaników**

menażka
obiad w **menażce**, **menażki** blaszane, zabrakło **menażek**, przyniosę kolację w **menażkach**

metr
brakuje **metra**, po **metrze**, metry **sznurka**, kilka **metrów**

mędrzec
wypowiedź **mędrca**, rozmowa z **mędrcem**, **mędrcy** Wschodu, król radził się **mędrców**

mężczyzna
sylwetka **mężczyzny**, szła z **mężczyzną**, dorośli **mężczyźni**, praca dla **mężczyzn**

> Ż piszemy, gdy w formach tego samego wyrazu lub w wyrazach pokrewnych ulega wymianie na: g, h, s, z, ź, dz.

mężny rycerz, **mężni** obywatele, **mężniejszy** od lwa

mgła
miasto tonie we **mgle**, **mgły** nad bagnami, urok **mgieł**, krajobraz z **mgłami**

mgr (czytaj: **magister**)
mgr farm. Ilona Fiolka – **magister** farmacji Ilona Fiolka

miara
taką samą **miarą**, nie ufam tej **mierze**, **miary** i wagi, system **miar**

miauczeć
miauczę, miauczysz, miaucz!, miauczał, miauczeli
mieć
mam, masz, miej!, miał, mieli
miedź
kolor **miedzi**, stop z **miedzią**
mierzyć
mierzę, mierzysz, mierz!, mierzył, mierzyli
miesiąc
koniec **miesiąca**, przed **miesiącem**, letnie **miesiące**, kilka **miesięcy**
między nami pierwszakami
międzymiastowy przewóz, rozmowa **międzymiastowa**, utrudnienia w komunikacji **międzymiastowej**
międzynarodowy konkurs, zyskać **międzynarodową** sławę, **międzynarodowe** organizacje
miękki materiał, byli **miękcy**, metal coraz **miększy**

mięso
kilogram **mięsa**, potrawa z **mięsem**, rodzaje **mięs**, rozmawiali o **mięsach**
Mikołaj (imię, święty)
list do **Mikołaja**, historia o **Mikołaju**, dwaj **Mikołajowie**
mikołaj (przebrany za św. Mikołaja człowiek)
zabawa z **mikołajem**, dwa **mikołaje**, kilku **mikołajów** z prezentami
mikołaj (figurka)
czekoladowy **mikołaj**, dwa **mikołaje** z marcepanu
mikołajek (roślina)
liście **mikołajka**, ochrona **mikołajków**
mikołajek (figurka)
dostać **mikołajka** z czekolady
Mikołajki (miejscowość na Pojezierzu Mazurskim)
wakacje w **Mikołajkach**, bilet do **Mikołajek**
mikołajki (zwyczaj dawania prezentów 6 grudnia i sam ten dzień) prezent na **mikołajki**, marzę o **mikołajkach**

miłość

brak **miłości**, patrzył z **miłością**, opowieść o **miłościach**

min (czytaj: **minuta**)

1,5 **min** – półtorej **minuty**, 10 **min** – dziesięć **minut**

m.in. (czytaj: **między innymi**)

byliśmy **m.in.** w Paryżu

minus

jesteś na **minusie**, dwa **minusy** dają plus, on ma wiele **minusów**

minuta

w ciągu **minuty**, o **minutę** za późno, sto **minut**, piąta z **minutami**

miód

garnek **miodu**, piernik na **miodzie**, **miody** naturalne, gatunki **miodów**

mistrz

potrzebuję **mistrza**, rozmowa z **mistrzem**, o mój **mistrzu**!, spotkanie **mistrzów**

miś

mam **misia**, **misie** puchate, futerka **misiów**, śpimy z **misiami**

mleczarz

praca **mleczarza**, **mleczarze** o świcie, związek **mleczarzy**, bajka o **mleczarzach**

młody pies, **młodzi** ludzie, **młodsze** dzieci

młodzież

grupa **młodzieży**, rozmowa z **młodzieżą**

młynarz

praca **młynarza**, pogawędka z **młynarzem**, **młynarze** w bieli, związek **młynarzy**

mnich

habit **mnicha**, cisi **mnisi**, modlitwa **mnichów**, medytacje z **mnichami**

mnożyć

mnożę, mnożysz, mnóż!, mnożył, mnożyli

Mrówka z Morskiego Oka
matematyki się bała,
bo mnożyć nie umiała.

mnóstwo serdeczności, pociechy
z dzieci i wszelkiej radości!

modelarz
hobby **modelarza**, kolekcje **modelarzy**

modrzew
korona **modrzewia**, wysokie **modrzewie**, ochrona **modrzewi**

monarcha
koronacja **monarchy**, składać hołd **monarsze**, obrady z **monarchą**, dwaj **monarchowie**, trony **monarchów**

montaż
specjalista od **montażu**, nie można nic zarzucić **montażowi**, **montaże** filmów

Morskie Oko
wycieczka do **Morskiego Oka**, spotkajmy się nad **Morskim Okiem**

morze
brzeg **morza**, łowić ryby w **morzu**, głębokość **mórz**, po **morzach** i oceanach

motorówka
kupno **motorówki**, płynąć **motorówką**, silnik w **motorówce**, ratownicy w **motorówkach**

może być jeszcze coś do zjedzenia

możliwie nas przyjęto, **możliwej** niż w miasteczku

można przyjść w garniturze

Ż piszemy, gdy w formach tego samego wyrazu lub w wyrazach pokrewnych ulega wymianie na:

g, **h**, **s**, **z**, **ź**, **dz**.

móc
mogę, możesz, mógł, mogli

mój
mojego (**mego**) mieszkania, **mojemu** (**memu**) domowi, **moi** przyjaciele, **moich** (**mych**) zainteresowań

mól
znalazłem **mola** w szafie, fruwające **mole**, larwy **moli**, sweter w **molach**

Dwa wesołe mole
założyły przedszkole;
mrówki tam przychodziły,
dobrze się bawiły.

mówca
przemowa **mówcy**, był dobrym **mówcą**, konkurs **mówców**, rozmawiali o **mówcach**

mówić
mówię, mówisz, mów!, mówił, mówili

mózg
praca **mózgu**, był **mózgiem** napadu, twarde **mózgi**, badanie **mózgów**

móżdżek
ptasi **móżdżek**, stan **móżdżka** lub **móżdżku**, co drzemie w **móżdżkach**?

mrowisko
mieszkańcy **mrowiska**, życie w **mrowisku**, wiele **mrowisk**, w leśnych **mrowiskach**

mroźny wiatr, **mroźniejszy** wicher

mrożonka
brukselka w **mrożonce**, **mrożonki** warzywne, wybór **mrożonek**, sklep z **mrożonkami**

Ż piszemy, gdy w formach tego samego wyrazu lub w wyrazach pokrewnych ulega wymianie na:
g, h, s, z, ź, dz.

mrówka
ślad po **mrówce**, oblazły go **mrówki**, sznur **mrówek**, kłopot z **mrówkami**

mróz
siła **mrozu**, stał na **mrozie**, wielkie **mrozy**, fala **mrozów**

mrugnąć
mrugnę, mrugniesz, mrugnij!, mrugnął, mrugnęli

mruknąć
mruknę, mrukniesz, mruknij!, mruknął, mruknęli

mucha
skrzydełka **muchy**, przyglądać się **musze**, brzęczenie **much**, komary z **muchami**

muchomor
kapelusz **muchomora**, baśń o **muchomorze**, **muchomory** sromotnikowe, kapelusze **muchomorów**

Zjadła muchomora
małżonka malarza,
przyszedł do niej lekarz i rzekł:
„To się zdarza”.

mundur
guziki **munduru**, żołnierz w **mundurze**, **mundury** pilotów, czyszczenie **mundurów**

mur
fragment **muru**, dziura w **murze**, **mury** obronne, bez **murów**, żołnierze na **murach**

murarz
zawód **murarza**, zapłacić **murarzowi**, dobrzy **murarze**, pracować z **murarzami**

Rz piszemy w zakończeniach **nazw zawodów**.

Murzyn
strój **Murzyna**, zdjęcie **Murzynki**, taniec **Murzynów**, **murzyńskie** rytmy

muszka
złapał **muszkę**, chmara **muszek**; kupno **muszki**, pan w **muszce**, kolory **muszek**, grochy na **muszkach**; naprowadził **muszkę** na cel, mieli go już na **muszce**

muszla
ślimak z **muszlą**, morskie **muszle**, kolekcja **muszli**, ostrygi w **muszlach**

musztarda
bez **musztardy**, lubił **musztardę**, kiełbaska z **musztardą**, gorczyca w **musztardzie**, rodzaje **musztard**

muzeum
wycieczka do **muzeum**, dwa **muzea**, zbiory **muzeów**, eksponaty w **muzeach**

muzyka
słucham **muzyki**, lubił **muzykę** klasyczną, wędrował z **muzyką**, rytm w **muzyce**

mysikrólik
gonimy **mysikrólika**, zabawy z **mysikrólikiem**, **mysikróliki** na gałązce, gniazdka **mysikrólików**

mysz
kłopot z **myszą**, w tym domu nie ma **myszy**, marzył kot o **myszach**

Myszka nie chciała
moknąć na mżawce,
poszła do mrówki
puszczać latawce.

myśleć
myślę, myślisz, myśl!, myślał,
myśleli

mżawka
moknąć na **mżawce**, częste
mżawki, nie znoszę **mżawek**

N

nabój
łuska **naboju**, strzelił ostrym **nabojem**, **naboje** do karabinu, komplet **naboi** lub **nabojów**

Ó piszemy, gdy w innych formach tego samego wyrazu lub w wyrazach pokrewnych następuje wymiana na litery: **o**, **a**, **e**.

nadawca
adres **nadawcy**, był **nadawcą** paczki, kwity **nadawców**, ankieta o **nadawcach**

nade mną rozległ się huk

na dół i do góry biegał kocur bury

na dworze mróz i zawierucha

nadzwyczajny początek przyjaźni

nagroda
laureat **nagrody**, udział w **nagrodzie**, rozdanie **nagród**, stolik z **nagrodami**

najbliższy (zobacz **bliski**)

najkrótszy (zobacz **krótki**)

najpierw wstał Krzyś, potem Antek

najwyżej (zobacz **wysoko**)

należeć
należę, należysz, należ!, należał, należeli

na pewno nikt nie zauważył

napój
litr **napoju**, szklanka z **napojem**, **napoje** owocowe, smak **napojów**

naprawdę będę dzwonił

na próżno czekał dwie godziny

naprzeciw szedł mój przyjaciel

na przodzie pochodu szedł Marian

naprzód, chłopcy, do boju!

na przód ciężarówki wrzucił cięższe paczki

na przykład wymów pierwszą literę

Na przykład
napój pomarańczowy
chętnie by piły zabawne krowy.

narciarz
strój **narciarza**, był **narciarzem**, **narciarze** zawodowi, trasa **narciarzy**

nareszcie spadł deszcz
naród
odezwa do **narodu**, siła w **narodzie**, **narody** świata, historie **narodów**
narzeczony
pierścionek od **narzeczonego**, weseli **narzeczeni**, kwiaty od **narzeczonych**

Mój narzeczony,
w cudownym stroju,
ruszył do tańca
jak rycerz do boju.

narzekać
narzekam, narzekasz, narzekaj!, narzekał, narzekali
narzędzie
posłużył się **narzędziem**, **narzędzia** hydraulika, szukam **narzędzi**, bałagan w **narzędziach**

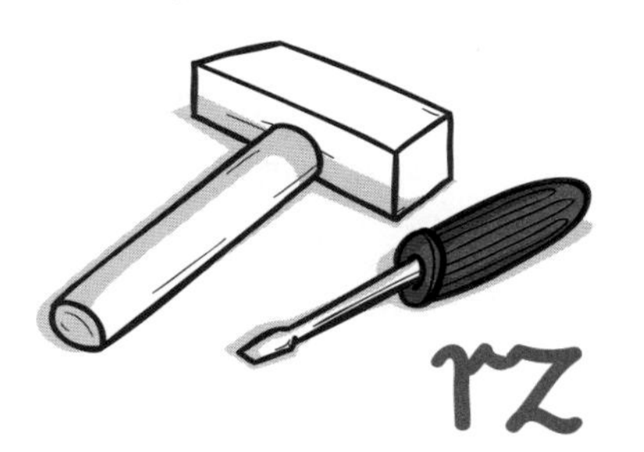

nastrój
urok **nastroju**, kłopot z **nastrojem**, **nastroje** wieczorne, zmienność **nastrojów**
naturalny jogurt, **naturalni** wrogowie, **naturalniejszy** kolor
natychmiast musisz wyjść!
nauczyciel
nazwisko **nauczyciela**, wycieczka z **nauczycielem**, **nauczyciele** matematyki, zebranie **nauczycieli**
nauka
podciągnął się w **nauce**, **nauki** ścisłe, królowa **nauk** (matematyka)
nawierzchnia
brak **nawierzchni**, **nawierzchnie** w remoncie, ślizgamy się po **nawierzchniach**
na wierzchu leżały papiery Maćka
nazajutrz przyjdę znowu
nędzarz
jałmużna **nędzarza**, opowieść o **nędzarzu**, **nędzarze** wielkich miast, spotkanie z **nędzarzami**
nie bardzo wiem, o co chodzi

niebezpieczeństwo
unikali **niebezpieczeństwa**, byli w **niebezpieczeństwie**

Przeczenie **NIE** piszemy **łącznie** z rzeczownikami.

nieciekawy film, **nieciekawi** ludzie
niecodzienne zdarzenia, **niecodzienni** goście
nie co dzień zdarza się taki pech
nieczynny sklep, **nieczynne** biuro
niedługo będą wakacje
niedobrze się poczuł
nieduży pakunek, **nieduzi** chłopcy
niedziela
nie lubię **niedzieli**, wyjechał w **niedzielę**, dwie **niedziele**, tygodnie z **niedzielami**
niedźwiedź
upolował **niedźwiedzia**, dzielić skórę na **niedźwiedziu**, **niedźwiedzie** polarne, drzemka **niedźwiedzi**

Niedźwiedź w niedzielę grał
na mandolinie,
w środę na bandżo,
dzisiaj na pianinie.

niegrzeczny chłopiec, **niegrzeczni** uczniowie
niektóry wierzył, **niektórzy** nie wierzyli
niеładny kapelusz, **niеładni** – choć uroczy
nieobecny uczeń, **nieobecni** uczniowie
nieostrożny pan, **nieostrożni** zwiadowcy
niepokój
uczucie **niepokoju**, czytał z **niepokojem**, same **niepokoje**, koniec **niepokojów** lub **niepokoi**
nieporządek
walczył z **nieporządkiem** w pokoju, nie lubił **nieporządków**

niepotrzebny nikomu mebel, **niepotrzebni** ochotnicy
nieprawda, nikt tego nie widział
nieraz przychodził, ale nie na długo
nie raz, nie dwa spóźniał się do szkoły

nierzadko chodził do kina sam
nie rzadziej niż zwykle

Przeczenie NIE piszemy **rozłącznie** z przysłówkami w stopniu wyższym i najwyższym.

niesłodki tort
niesprawiedliwy sąd, **niesprawiedliwi** jurorzy
niestety, nikt nie przyszedł
nieszczęście
w tym **nieszczęściu**, **nieszczęścia** chodzą parami, przyczyny **nieszczęść**
nieść
niosę, niesiesz, nieś!, niósł, nieśli
nieśmiały kolega, **nieśmiali** młodzieńcy
nieświeży zapach
nietoperz
skrzydła **nietoperza**, zabawa z **nietoperzem**, **nietoperze** nocą, piosenki o **nietoperzach**

Niewidomy nietoperz
w niewygodzie żył,
strasznie był nieufny
i ze wszystkich kpił.

nietrudny test z fizyki, **nietrudni** przeciwnicy
nieuczciwy sprzedawca, **nieuczciwi** kasjerzy
nieufny chłopiec, **nieufni** malcy
nieuwaga była przyczyną wypadku, potknął się przez **nieuwagę**
nieuważny uczeń, **nieuważni** kierowcy
nieważny dokument
niewidomy człowiek, pies **niewidomego**, dzieci pomagały **niewidomemu**, **niewidomi** ludzie
niewielki bałagan, **niewielcy** chłopcy
niewola
wrócił z **niewoli**, popadł w **niewolę**
niewygodny fotel, **niewygodne** buty, **niewygodni** świadkowie
niewyraźny ślad na śniegu
niewysoki stolik, **niewysokie** krzesła, **niewysocy** ludzie
niezapominajka
wiersz o **niezapominajce**, kępa **niezapominajek**, bukiecik z **niezapominajkami**, pszczoły w **niezapominajkach**

NiE

nie zawsze był zadowolony
niezbyt miłe zdarzenie
niezdecydowany klient
niezdrowy miś poszedł do lekarza
dziś, **niezdrowe** jedzenie,
niezdrowi mieszkańcy
niezgoda rujnuje, żył w **niezgodzie**
niezły budyń, **nieźli** tancerze
nieznośny przedszkolak, **nieznośni**
uczniowie
niezwyciężony rycerz,
niezwyciężone armie
niezwykły człowiek, **niezwykła**
przygoda, **niezwykli**
bohaterowie powieści
nieźle sobie radził jak na
debiutanta
nigdy nie powtarzaj plotek
nigdzie nie będzie lepiej
niski budynek, w **niskich**
zaroślach, **niscy** mężczyźni,
niższy od brata
niż
lepiej dzisiaj **niż** jutro
nosorożec
kąpiel **nosorożca**, pościg za
nosorożcem, **nosorożce** są pod
ochroną, stado **nosorożców**

Był niezbyt
wielkim nosorożcem,
nie zawsze zadowolonym,
lecz niezwykle ożywionym.

nowo kupiony samochód
nowo otwarty sklep
noworoczny dzień, **noworoczna**
zabawa, **noworoczne** życzenia,
noworodek
kąpiel **noworodka**, mama
z **noworodkiem**, **noworodki**
na oddziale, ubranka
noworodków
nowo wybrany prezydent
nowo wybudowany stadion
nożyczki
ostre **nożyczki**, szukam
nożyczek, ciął **nożyczkami**,
mówił o **nożyczkach**

nóż

ostrze **noża**, rzucać **nożem**, **noże** kuchenne, nie mam **noży**

nóżka

skarpetka na **nóżce**, schylił się do **nóżek**, nie depcz jej po **nóżkach**; **nóżki** w galarecie

nuda

nie znam **nudy**, radzę sobie z **nudą**, umierać z **nudów**

numer

nie pamiętam **numeru**, pomyłka w **numerze**, **numery** mieszkań, zapisywanie **numerów**

Wedy nastąpiła pomyłka
w numerze,
gdy ślepy kret zapomniał
o kolejnym zerze.

nr (czytaj: **numer**)

nr 3 na liście, nie pamiętam **nr.** lub **nru**, pomyłka w **nr.** lub **nrze**, **nry** lub **nr** mieszkań, zapisywanie **nrów**

O

O! – krzyknął mały Jurek – spod stołu wystaje sznurek!

oaza
przed **oazą**, woda w **oazie**, **oazy** na pustyni, w **oazach** spokoju

obcążki
para **obcążków,** nie mógł znaleźć **obcążków**, ostrożnie z **obcążkami**

Ż piszemy, gdy w formach tego samego wyrazu lub w wyrazach pokrewnych ulega wymianie na: **g, h, s, z, ź, dz.**

obchód
trasa **obchodu**, po **obchodzie** lekarskim, **obchody** rocznicy powstania, termin **obchodów**

obcokrajowiec
paszport **obcokrajowca**, John jest **obcokrajowcem**, **obcokrajowcy** przyjechali do Krakowa, hotel dla **obcokrajowców**

obejrzeć
obejrzę, obejrzysz, obejrzyj!, obejrzał, obejrzeli

Rz piszemy po spółgłoskach: **p, b, t, d, k, g, ch, j, w.**

obiad
rozmowa podczas **obiadu**, deser po **obiedzie**, **obiady** w stołówce, przygotowanie **obiadów**

obiecać
obiecam, obiecasz, obiecaj!, obiecał, obiecali

obietnica
złożenie **obietnicy**, czcze **obietnice**, wiele **obietnic**, w **obietnicach** ani krzty prawdy

objaśnienie
z wyczerpującym **objaśnieniem**, jasne **objaśnienia**, brak **objaśnień**, gubił się w **objaśnieniach**

objeść
objem, objesz, objedz!, objadł, objedli

objętość
problem z dużą **objętością**, dwie **objętości**

obłuda

przemowa pełna **obłudy**, dał się zwieść **obłudzie**

oboje

ciasto dla **obojga**, **obojgu** nikt nie ufał, wyszli z **obojgiem** dzieci

obój

gra na **oboju**, szedł z **obojem**, **oboje** w futerałach, dźwięk **oboi** lub **obojów**

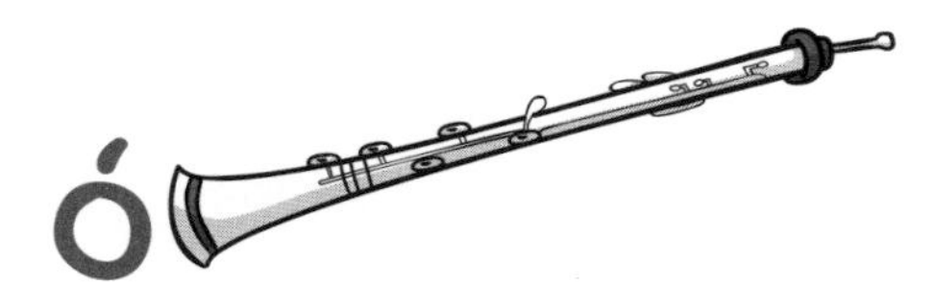

obóz

uczestnik **obozu**, na **obozie**, **obozy** rekreacyjne, organizowanie **obozów**

obraz

temat **obrazu**, wyszedł z **obrazem**, na **obrazie**, **obrazy** na sprzedaż, cykl **obrazów**

obrazić

obrażę, obrazisz, obraź!, obraził, obrazili

obrażać

obrażam, obrażasz, obrażaj!, obrażał, obrażali

obroża

kleszcz pod **obrożą**, zwierzę w **obroży**, **obroże** psów, adresy na **obrożach**

obrócić

obrócę, obrócisz, obróć!, obrócił, obrócili

obrót

nie wykonał **obrotu**, w tanecznym **obrocie**, dwa **obroty**, kilka **obrotów**

Zrobili kilka tanecznych obrotów, by sprawić radość rudemu kotu.

obrus

róg **obrusa** lub **obrusu**, plama na **obrusie**, **obrusy** lniane, kolory **obrusów**

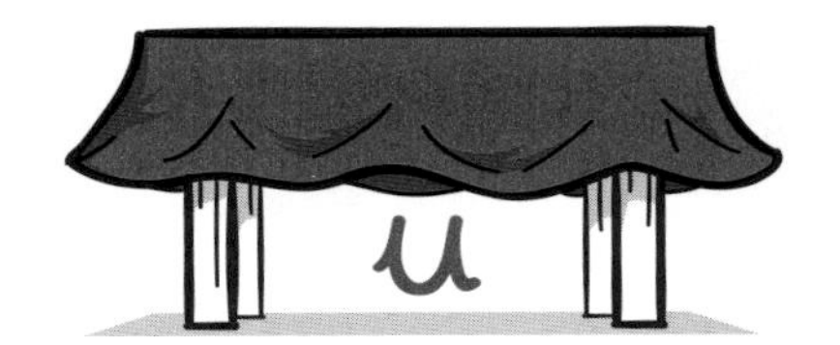

obrzęd
magia **obrzędu**, udział w **obrzędzie**, **obrzędy** ludowe, dokonywali **obrzędów**

obrzęk
powód **obrzęku**, **obrzęki** na nogach, nie miał **obrzęków**

obrzydliwy zapach, bardziej **obrzydliwi** niż zwykle, coraz **obrzydliwsze** zachowanie

obsługa
instrukcja **obsługi**, opłata za **obsługę**, zmiana w **obsłudze** stoiska

obudzić się
obudzę się, obudzisz się, obudź się!, obudził się, obudzili się

oburzać się
oburzam się, oburzasz się, oburzaj się!, oburzał się, oburzali się

obuwie
numer **obuwia**, szafka na **obuwie**, sklep z **obuwiem**, cena na **obuwiu**

obwarzanek
sól na **obwarzanku**, wrócił z **obwarzankiem**, **obwarzanki** z makiem, kosz **obwarzanków** lub **obwarzanek**

obwód
granica **obwodu**, metr w **obwodzie**, elektryczne **obwody**, awaria **obwodów**

obydwoje
zaproszenie dla **obydwojga**, rozmawiali o **obydwojgu**

obżarstwo wielkie

obżartuch
znam **obżartucha**, pójdę na kolację z **obżartuchem**, wesołe **obżartuchy**, klub **obżartuchów**

Klub obżartuchów sami założyli,
świetnie się bawili, sporo jedli i pili.

ocet
litr **octu**, butelka z **octem**, ryby w **occie**, **octy** owocowe, dużo **octów**

och, och, lecą łzy jak groch!

ochłoda

zażywali wieczornej **ochłody**, ku **ochłodzie** zjedli lody

Ochroniarze dla ochłody
zamawiali duże lody.

ochłodzenie

mówili o **ochłodzeniu** powietrza, fala **ochłodzeń**

ochota

nie mam **ochoty**, mam **ochotę** na ciastka, szedł z **ochotą**

ochotnik

zgłosili się na **ochotnika**, jesteś **ochotnikiem**, dwaj **ochotnicy**, werbować **ochotników**

ochrona

brak **ochrony**, dbać o **ochronę**, obiekt pod **ochroną**

ochroniarz

muskuły **ochroniarza**, ufam **ochroniarzowi**, **ochroniarze** prezydenta, idą z **ochroniarzami**

Rz piszemy w zakończeniach **nazw zawodów**.

ochrzcić (odmienia się jak **chrzcić**)

odbiór

termin **odbioru**, zawiadomienie o **odbiorze** paczki, **odbiory** towarów, pokwitowania **odbiorów**

odchodzić

odchodzę, odchodzisz, odchodź!, odchodził, odchodzili

odchudzać się

odchudzam się, odchudzasz się, odchudzaj się!, odchudzał się, odchudzali się

oddać

oddam, oddasz, oddaj!, oddał, oddali

oddech

brak **oddechu**, z każdym **oddechem**, krótkie **oddechy**, kilka **oddechów**

oddychać

oddycham, oddychasz, oddychaj!, oddychał, oddychali

odejść

odejdę, odejdziesz, odejdź!, odszedł, odeszli

ode mnie daleko do ciebie

od góry do dołu miał szóstki na świadectwie

odgryźć
odgryzę, odgryziesz, odgryź!, odgryzł, odgryźli

odjąć
odejmę, odejmiesz, odejmij!, odjął, odjęli

odjechać
odjadę, odjedziesz, odjedź!, odjechał, odjechali

odjeżdżać
odjeżdżam, odjeżdżasz, odjeżdżaj!, odjeżdżał, odjeżdżali

> Ż piszemy, gdy w formach tego samego wyrazu lub w wyrazach pokrewnych ulega wymianie na: **g, h, s, z, ź, dz.**

odkąd wrócił do domu, jest weselej

odkręcić
odkręcę, odkręcisz, odkręć!, odkręcił, odkręcili

odkurzacz
zakup **odkurzacza**, sprzątać **odkurzaczem**, samochodowe **odkurzacze**, silniki w **odkurzaczach**

odnieść
odniosę, odniesiesz, odnieś!, odniósł, odnieśli

odnosić
odnoszę, odnosisz, odnoś!, odnosił, odnosili

od nowa zaczął trenować

odnowa biologiczna, pracował przy **odnowie** zabytków

odnóżka
wyhodowane z **odnóżki**, na jednej **odnóżce**, gęstwina **odnóżek**, roślina z **odnóżkami**

> Ó piszemy, gdy w innych formach tego samego wyrazu lub w wyrazach pokrewnych następuje wymiana na litery: **o, a, e.**

odpocząć
odpocznę, odpoczniesz, odpocznij!, odpoczął, odpoczęli

od początku wiedział, że nikt nie przyjdzie

odpoczywać
odpoczywam, odpoczywasz, odpoczywaj!, odpoczywał, odpoczywali

odpowiedzialność
unikał **odpowiedzialności**, bronił się przed **odpowiedzialnością**

odpowiedź
brak **odpowiedzi**, milczenie było **odpowiedzią**, testy z **odpowiedziami**, błędy w **odpowiedziach**

odprężyć (się)
odprężę, odprężysz, odpręż!, odprężył, odprężyli

odpychać
odpycham, odpychasz, odpychaj!, odpychał, odpychali

Odra (nazwa rzeki)
nurt **Odry**, statki pływały po **Odrze**

odra (nazwa choroby)
objawy **odry**, szczepionka przeciwko **odrze**, zachorował na **odrę**

od razu spojrzał na mnie

od rzeczy mówił zbyt często

odrzucić
odrzucę, odrzucisz, odrzuć!, odrzucił, odrzucili

odrzutowiec
prędkość **odrzutowca**, lecieli **odrzutowcem**, **odrzutowce** amerykańskie, lotniska dla **odrzutowców**

odstawiać
odstawiam, odstawiasz, odstawiaj!, odstawiał, odstawiali

odstawić
odstawię, odstawisz, odstaw!, odstawił, odstawili

odstęp
brak **odstępu**, **odstępy** pomiędzy wyrazami, likwidowanie **odstępów**, w krótkich **odstępach**

odsunąć
odsunę, odsuniesz, odsuń!, odsunął, odsunęli

odśnieżać
odśnieżam, odśnieżasz, odśnieżaj!, odśnieżał, odśnieżali

od teraz do jutra

odtrącić
odtrącę, odtrącisz, odtrąć!, odtrącił, odtrącili

odwaga
nie brak mu **odwagi**, odznaczać się **odwagą**, nie mieli pojęcia o **odwadze**

odważnik
masa **odważnika**, waga z **odważnikiem**, **odważniki** sklepowe, ciężar **odważników**

odważny człowiek, **odważni** ludzie, **odważniejszy** pies

odwieźć
odwiozę, odwieziesz, odwieź!, odwiózł, odwieźli

odwilż
czas **odwilży**, marcowe **odwilże**

Mimo że odwilż już bieży,
ciepłą odzież nosić należy.

odwrócić
odwrócę, odwrócisz, odwróć!, odwrócił, odwrócili

odwrót
rozkaz **odwrotu**, oddział w **odwrocie**, **odwroty** wojsk, kierunki **odwrotów**

Ó piszemy, gdy w innych formach tego samego wyrazu lub w wyrazach pokrewnych następuje wymiana na litery: **o**, **a**, **e**.

odzież
sklep z **odzieżą**, sterta **odzieży**

odznaka
przypiął **odznakę**, napis na **odznace**, **odznaki** za odwagę, gablota z **odznakami**

odzyskać
odzyskam, odzyskasz, odzyskaj!, odzyskał, odzyskali

odżywiać
odżywiam, odżywiasz, odżywiaj!, odżywiał, odżywiali

ofiara
złożył w **ofierze**, **ofiary** pożaru, ku czci **ofiar**

oglądać
oglądam, oglądasz, oglądaj!, oglądał, oglądali

ogólnie przyjęte normy

ogórek
skórka **ogórka**, kanapka z **ogórkiem**, **ogórki** szklarniowe, kiszenie **ogórków**

W przydomowym ogródku
rósł ogórek powolutku.

ogród
właściciel **ogrodu**, bawili się w **ogrodzie**, zamkowe **ogrody**, zwiedzanie **ogrodów**

ogródek
uprawianie warzywnego **ogródka**, prace w **ogródku**, **ogródki** działkowe, teren **ogródków**

ogrzać
ogrzeję, ogrzejesz, ogrzej!, ogrzał, ogrzali

ogrzewać
ogrzewam, ogrzewasz, ogrzewaj!, ogrzewał, ogrzewali

oho, zaraz nas dogoni lampart

ohydny postępek, **ohydna** bestia, **ohydne** zdarzenie, **ohydni** złodzieje

ojczyzna
miłość **ojczyzny**, polegli za **ojczyznę**, wiersz o **ojczyźnie**, obrońcy **ojczyzn**

ojej, cóż za paskudny dzień

okazja
z **okazji** imienin, święta są miłą **okazją**, **liczne** okazje

oko (narząd wzroku)
siniak pod **okiem**, mieć kogoś na **oku** (interesować się kimś), zielone **oczy**, kolor **oczu**, przewracać **oczami** lub **oczyma**, szaleństwo w **oczach**

oko (kropla tłuszczu, pętelka w dzianinie, w sieci)
oka na rosole, liczenie **ok** w sieci

około godziny dziesiątej spotkali się na skwerze

okrągły talerz, **okrągłe** ciasteczka, księżyc **okrąglejszy** niż wczoraj

okrążenie
przebiegł dwa **okrążenia**, zrobił kilka **okrążeń**

okrążyć
okrążę, okrążysz, okrąż!, okrążył, okrążyli

okręt
nazwa **okrętu**, załoga na **okręcie**, **okręty** marynarki wojennej, wodowanie **okrętów**

okruch
nie zostawił nawet **okrucha** lub **okruchu**, kłopot z **okruchem**, **okruchy** chleba, garstka **okruchów**

Myszka nie dostała okruchu
i strasznie burczało jej
w brzuchu.

okrutny zwyczaj, **okrutni** w swych sądach, **okrutniejszy** od rekina

okrzyk
uciekali bez **okrzyku**, z **okrzykiem** wybiegł na podwórko, dzikie **okrzyki**, wznoszenie radosnych **okrzyków**

okulary
spojrzał zza **okularów**, przetarł **okulary**, problem z **okularami**, wyglądał świetnie w **okularach**

olbrzym
stopa **olbrzyma**, spotkanie z **olbrzymem**, **olbrzymy** walczyły ze sobą, obozowisko **olbrzymów**

Każdy olbrzym
po cytrynowej oranżadzie
pięknie stepuje
lub do łóżka spać się kładzie.

olcha
piknik pod **olchą**, liście na **olsze**, obok domu rosły **olchy**, zagajnik **olch**

olśnić
olśnię, olśnisz, olśnij!, olśnił, olśnili

olśniewać
olśniewam, olśniewasz, olśniewaj!, olśniewał, olśniewali

ołówek
temperowanie **ołówka**, rysował **ołówkiem**, kolorowe **ołówki**, rysiki **ołówków**

ołtarz
wystrój **ołtarza**, klęczał przed **ołtarzem**, budowanie **ołtarzy** lub **ołtarzów**, obrazy na **ołtarzach**

oparzenie
ślady **oparzenia**, strach przed **oparzeniem**, blizny po **oparzeniu**, miejsca **oparzeń**

opatrunek
zmiana **opatrunku**, wrócił z **opatrunkiem**, sterylne **opatrunki**, zmiana **opatrunków**

opiekować się
opiekuję się, opiekujesz się, opiekuj się!, opiekował się, opiekowali się

opór
ruch **oporu**, mówił o **oporze**, miał wielkie **opory**, bez **oporów** wszedł do rakiety

oprócz niej był tam ktoś inny

oprzeć się
oprę się, oprzesz się, oprzyj się, oparł się, oparli się

oranżada
smak **oranżady**, skrzynka z **oranżadą**, mucha w **oranżadzie**, produkcja **oranżad**

oranżeria
rośliny w **oranżerii**, oszklone **oranżerie**, podwieczorki w **oranżeriach**

oraz ty i twój brat

orchidea
kwiat **orchidei**, oglądać **orchideę**, **orchidee** we włosach

oręż
szczęk **oręża**, wymachiwał **orężem**

orkiestra
dyrygent **orkiestry**, soliści występowali z **orkiestrą**, skrzypaczka grała w **orkiestrze**, konkurs **orkiestr** dętych

ort. (czytaj: **ortograficzny**)

ortograficzny słownik, **ortograficzna** pisownia, sporo błędów **ortograficznych**

Miał zainteresowania muzyczne, ale robił błędy ortograficzne.

oryginalny strój, **oryginalni** artyści, **najoryginalniejszy** sposób zachowania się

orzech
Calineczka w łupince **orzecha**, wiewiórka z **orzechem**, **orzechy** laskowe, dziadek do **orzechów**

orzechowy tort, **orzechowe** meble, blask w **orzechowym** oku

orzeł
lot **orła**, sztandar z **orłem**, **orły** cesarskie; szkoła nie tylko dla **orłów**

orzeźwiający napój, **orzeźwiające** powietrze

oschły ton, byli **oschli** dla siebie, **oschlejszy** niż dotychczas

osiągnąć
osiągnę, osiągniesz, osiągnij!, osiągnął, osiągnęli

osiem tulipanów, **ośmiu** rycerzy, rozmawiał z **ośmioma** lub z **ośmiu** osobami

osiemdziesiąt hiacyntów, **osiemdziesięciu** pacjentów, z **osiemdziesięcioma** lub z **osiemdziesięciu** dolarami przy duszy

osiemnaście róż, **osiemnastu** żołnierzy, z **osiemnastoma** lub z **osiemnastu** rycerzami

osiemset kwiatów, **ośmiuset** ludzi, z **ośmiuset** łóżkami

oskarżać
oskarżam, oskarżasz, oskarżaj!, oskarżał, oskarżali

oskarżony
przesłuchanie **oskarżonego**, kilku **oskarżonych**, **oskarżeni** o napad

Ż piszemy, gdy w formach tego samego wyrazu lub w wyrazach pokrewnych ulega wymianie na: g, h, s, z, ź, dz.

osoba
brakuje jednej **osoby**, przyszedł z **osobą** towarzyszącą, lista **osób**, przeciskali się pomiędzy **osobami**

ostrożny alpinista, **ostrożni** rajdowcy, bądź **ostrożniejszy** na drodze

Wielka ostrożność jest w cenie
i robi dobre wrażenie.

ostry nóż, **ostrzy** jak brzytwy, **ostrzejszy** niż musztarda

ostrzec
ostrzegę, ostrzeżesz, ostrzeż!, ostrzegł, ostrzegli

ostrzegać
ostrzegam, ostrzegasz, ostrzegaj!, ostrzegał, ostrzegali

ostrzeżenie dla kierowców, nie ignoruj **ostrzeżeń**

ostrzyżony na jeża, **ostrzyżeni** chłopcy

oswajać
oswajam, oswajasz, oswajaj!, oswajał, oswajali

oswoić
oswoję, oswoisz, oswój!, oswoił, oswoili

oszust
nazwisko **oszusta**, **oszuści** są poszukiwani, plaga **oszustów**

oś
współrzędne **osi**, **osie** kół, rdza na **osiach** roweru

ość
wyjmowanie **ości**, stanęła mu **ością** w gardle, talerzyk z rybimi **ościami** lub **ośćmi**

ośnieżać
ośnieżam, ośnieżasz, ośnieżaj!, ośnieżał, ośnieżali

ośnieżony las, **ośnieżone** szczyty gór, **ośnieżeni** narciarze

ośrodek
adres **ośrodka**, zamieszkali w **ośrodku**, **ośrodki** wypoczynkowe, kierownicy **ośrodków**

oświata
minister **oświaty**, dbał o **oświatę**, kłopoty z **oświatą**, pracował w **oświacie**

oto przyszedł wujek z prezentami

otóż zapewniam Cię o mej uczciwości

Otóż strach blady padł na owady,
gdy wprowadzono nowe zasady.

otruć
otruję, otrujesz, otruj!, otruł, otruli

otrzymać
otrzymam, otrzymasz, otrzymaj!, otrzymał, otrzymali

otrzymywać
otrzymuję, otrzymujesz, otrzymuj!, otrzymywał, otrzymywali

otucha

dodawał **otuchy**, napełnił nas **otuchą**

otwierać

otwieram, otwierasz, otwieraj!, otwierał, otwierali

otworzyć

otworzę, otworzysz, otwórz!, otworzył lub otwarł, otworzyli lub otwarli

otwór

zalepianie **otworu**, drut w **otworze**, **otwory** w ścianie, wiercenie **otworów**

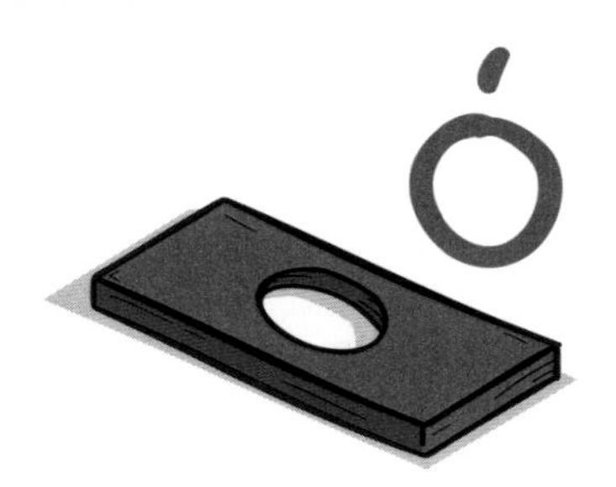

owad

nazwa **owada**, walka z **owadem**, rozmowa o rzadkim **owadzie**, **owady** na łące, rój **owadów**

owadobójczy środek

owadożerny ptak

owca

wełna **owcy**, wilk z **owcą**, wypas **owiec**, juhas marzył o **owcach**

owoc

kawałek **owocu**, **owoce** egzotyczne, ciasto z **owocami**, kosz **owoców**

owocowo-warzywny targ

Przekupka
na owocowo-warzywnym bazarze
rozdawała uśmiechy
paniom i panom w darze.

ozdoba

fryzura stanowiła jej **ozdobę**, **ozdoby** choinkowe, wyrób **ozdób**, marzyła o **ozdobach**

ożenić się

ożenię się, ożenisz się, ożeń się!, ożenił się, ożenili się

ożywczy napój, **ożywcze** powietrze

ożywić

ożywię, ożywisz, ożyw!, ożywił, ożywili

ósemka

mieszkali pod **ósemką**, cyfra po **ósemce**, kilka **ósemek**

ósmy cud świata, **ósma** godzina

Ósme miejsce na świecie
zajął dżokej jeżdżący w berecie.

ów człowiek był szalenie niebezpieczny

ówczesny styl życia był nie do wytrzymania

ówdzie

tu i **ówdzie** rosły karłowate sosny

P

p. (czytaj: **pan, pani**)
  p. Zofia Sowińska oraz **p.** Stefan Zieliński

pa, pa, do zobaczenia!

pachnidło
  esencja w **pachnidle**, moje **pachnidła**, składniki **pachnideł**, kąpiel w **pachnidłach**

pachnieć
  pachnę, pachniesz, pachnij!, pachniał, pachnieli

pacierz
  odmawianie **pacierza**, przed **pacierzem**, nauka **pacierzy**, mówił **pacierze**

pacjent
  wizyta u **pacjenta**, rozmowa z **pacjentem**, **pacjenci** przychodzili, rozterki **pacjentów**

paczka
  nadanie **paczki**, adres na **paczce**, zawartość **paczek**, wór z **paczkami**

padać
  padam, padasz, padaj!, padał, padali

pagórek
  wierzchołek **pagórka**, za **pagórkiem**, **pagórki** zielone, widok **pagórków**

pająk
  gatunek **pająka**, mucha z **pająkiem**, **pająki** włochate, jad **pająków**

pajęczyna
  mucha w **pajęczynie**, plątanina **pajęczyn**

pakunek
  wiązanie **pakunku**, wrócił z **pakunkiem**, **pakunki** w wózku, zawartość **pakunków**

W pakunku były
paczki paluszków
dla pewnej pani
i jej maluszków.

paluszek
opuszek **paluszka**, wskazał **paluszkiem**, **paluszki** u rączek i nóżek; paczka **paluszków**

pamiątka
mam **pamiątkę**, mówili o **pamiątce**, **pamiątki** z podróży, sklepik z **pamiątkami**

pamiętać
pamiętam, pamiętasz, pamiętaj!, pamiętał, pamiętali

pamiętnik
autor **pamiętnika**, wydarzenia w **pamiętniku**, pisał **pamiętniki**, wydawanie **pamiętników**

pan
mówię do **pana**, rozmawiali o **panu**, szanowni **panowie**, dwóch **panów**

pancerz
przebicie **pancerza**, nie zapomnij o **pancerzu**, srebrne **pancerze**; żółwie w **pancerzach**

pani
proszę **pani**, spotkanie z **panią**, szanowne **panie**, rozmowa **pań**

państwo (kraj)
granice **państwa**, bezpieczeństwo w **państwie**, flagi **państw**, współpraca z wieloma **państwami**

państwo (pani i pan)
zaproszenie dla **państwa** Nowaków, opowiem **państwu** anegdotkę, spotkanie z **państwem** Zalewskimi, rozmowa o **państwie** Młynarskich

papież
audiencja u **papieża**, spotkanie z **papieżem**, **papieże** włoscy, historia **papieży** lub **papieżów**

paproch
wyjmowanie **paprocha**, z **paprochem** na swetrze, **paprochy** na okularach, nie znosił **paprochów**

papuć
szukał **papucia**, **papucie** przynosi pies, miękkość **papuci**, w **papuciach** przez zimę

papuga
klatka **papugi**, nie mów źle o mojej **papudze**, konkurs gadających **papug**, klub Pod **Papugami**

Ż piszemy, gdy w formach tego samego wyrazu lub w wyrazach pokrewnych ulega wymianie na: **g, h, s, z, ź, dz.**

papużka
skrzydełka **papużki**, nie rób krzywdy **papużce**, para **papużek**, klatka z **papużkami**

Mądra papuga
z córką papużką
rzekły coś gościom
na prawe uszko.

parafia
mieszkańcy **parafii**, opiekował się **parafią**, dwie **parafie**, proboszcz na dwóch **parafiach**

parominutowy sprawdzian, **parominutowe** spóźnienie

parowóz
maszynista **parowozu**, wagony za **parowozem**, stare **parowozy**, muzeum **parowozów**

parówka
bułka z **parówką**, marzę o **parówce**, **parówki** na śniadanie, pies porwał sznur **parówek**

Ó piszemy w zakończeniach -ów, -ówna, -ówka.

Paryż
wrócił z **Paryża**, byliśmy w **Paryżu**, modna **paryżanka**, znajomy **paryżanin**, **paryska** elegancja, **paryskie** hoteliki

parzysty dzień tygodnia, **parzyste** liczby, w **parzystych** miesiącach roku

pasaż
szklane dachy nad **pasażem**, kawiarenki w **pasażu**, **pasaże** w śródmieściu, sklepy w **pasażach**

pasażer
walizka **pasażera**, opowieść o **pasażerze**, **pasażerowie** ekspresu, bagaże **pasażerów**

pasożyt
tępienie **pasożyta**, trudno żyć z **pasożytem**, lekarstwo na **pasożyty**, plaga **pasożytów**

pasterz
stado **pasterza**, skradziono owce **pasterzowi**, **pasterze** na hali, wielu **pasterzy**

pastuch
instalowanie elektrycznego **pastucha**, juhas z **pastuchem**, **pastuchy** pasą konie

Pastuszkowie na hali
pasożytów się bali.

patrzeć lub **patrzyć**
patrzę, patrzysz, patrz!, patrzał lub patrzył, patrzeli lub patrzyli

pauza
krótka **pauza**, wyszli na **pauzę**, dwie **pauzy**, między **pauzami**

pazur
znak **pazura**, bazgrze jak kura **pazurem**, **pazury** niedźwiedzia, ostrzenie **pazurów**

paź
fryzura na **pazia**, pan wszedł z **paziem**, dwaj **paziowie** królowej, wołali **paziów** króla

październik
szesnasty **października**, w **październiku** mam urodziny, **październiki** ostatnich lat, piękno **październików**

pączek
smak **pączka**, herbata z **pączkiem**, **pączki** z różą, stosik **pączków** w cukierni; **pączki** róży

pąk
świeżość **pąka**, pszczoła przysiadła na **pąku**, **pąki** na drzewach, rozwijanie **pąków**

pchać
pcham, pchasz, pchaj!, pchał, pchali

pchła
pchle na psie jest źle, środek na **pchły**, worek **pcheł**, przyglądać się **pchłom**

pchnąć
pchnę, pchniesz, pchnij!, pchnął, pchnęli

pejzaż
obraz jesiennego **pejzażu**, **pejzaże** miast, twórcy **pejzaży** lub **pejzażów**

Wziął zdolny malarz
w rękę pędzel
i namalował pejzaż
czym prędzej.

pełznąć
pełznę, pełzniesz lub pełźniesz, pełznij lub pełźnij!, pełznął lub pełzł, pełzli lub pełźli

perfumy
składniki **perfum**, stoisko z **perfumami**, zapach piżma w **perfumach**

pęcherz
zapalenie **pęcherza**, biegał jak kot z **pęcherzem**, rybie **pęcherze**

pędzel
trzonek **pędzla**, malowane **pędzlem**, **pędzle** malarskie, pęk **pędzli**

pędzić
pędzę, pędzisz, pędź!, pędził, pędzili

pęk
z **pękiem** kluczy, klucze w **pęku**, rozplątywanie **pęków**; **pęki** kwiatów, kilka **pęków**

pękać
pękam, pękasz, pękaj!, pękał, pękali

pępek
kształt **pępka**, jest **pępkiem** świata, dwa **pępki**, ozdoby **pępków**

pętla
wiązanie **pętli**, jechał **pętlą**, **pętle** tramwajowe, wsiadali na **pętlach**

piach
góra **piachu**, skrzynia z **piachem**; **piachy** na wydmach, zwały **piachów**

pianino
strojenie **pianina**, gram na **pianinie**, dźwięki **pianin**, sklep z **pianinami**

piasek
skrzynia **piasku**, posypanie ulic **piaskiem**, ruchome **piaski**, rodzaje **piasków**

piaszczysty teren, **piaszczysta** plaża

piątek
przed Wielkim **Piątkiem**, nie zapomnij o **piątku**, **piątki** miesiąca, nie lubię **piątków**

piątka
jechał **piątką**, marzył o **piątce**, **piątki** są przed szóstkami, rząd **piątek**

pić
piję, pijesz, pij!, pił, pili

pieczarka
kapelusz **pieczarki**, na **pieczarce**, hodowla **pieczarek**, sosik z **pieczarkami**

pieczątka
krój **pieczątki**, pamiętaj o **pieczątce**, kolekcja **pieczątek**, pisma ostemplowane **pieczątkami**

W piątek pieczątkę
przystawiono
i piec bułeczki
pozwolono.

piegus
twarz **piegusa**, Zenek był **piegusem**, dwa **piegusy**, czupryny **piegusów**

piekarz
sklep **piekarza**, piosenka o **piekarzu**, dwaj **piekarze**, ciastkarze z **piekarzami**

Rz piszemy w zakończeniach **nazw zawodów**.

pielęgniarka
pokój **pielęgniarki**, lekarz z **pielęgniarką**, święto **pielęgniarek**, wręczać bukiety **pielęgniarkom**

pielęgniarz
ciężka praca **pielęgniarza**, sanitariusz z **pielęgniarzem**, **pielęgniarze** w domu pomocy społecznej, karetka z **pielęgniarzami**

pielęgnować
pielęgnuję, pielęgnujesz, pielęgnuj!, pielęgnował, pielęgnowali

pieniądz
wartość **pieniądza**, **pieniądze** w banku, wymiana **pieniędzy**, portfel z **pieniędzmi**

pieniążek
historia **pieniążka**, stare **pieniążki**, wór **pieniążków**, klaser z **pieniążkami**

Ż piszemy, gdy w formach tego samego wyrazu lub w wyrazach pokrewnych ulega wymianie na: g, h, s, z, ź, dz.

pień
grubość **pnia**, dziupla w **pniu**, **pnie** drzew, drzewa z grubymi **pniami**

pieprz
za dużo **pieprzu**, potrawa z **pieprzem**, znać się na czymś jak kura na **pieprzu** (nie mieć pojęcia o czymś)

pierożek
kształt **pierożka**, barszcz z **pierożkiem**, **pierożki** w zupie, talerz **pierożków**

pieróg
farsz **pieroga**, skwarki na **pierogu**, **pierogi** z kapustą, talerz **pierogów**

pierścień
magia **pierścienia**, błysnąć **pierścieniem**, **pierścienie** na palcach, ręce w **pierścieniach**

pierścionek
oczko **pierścionka**, złote **pierścionki**, kilka **pierścionków**

pierwiosnek
kwiat **pierwiosnka**, krokus z **pierwiosnkiem**, **pierwiosnki** na łące, bukiecik **pierwiosnków**

pierwszoklasista
mama **pierwszoklasisty**, Jacek jest **pierwszoklasistą**, **pierwszoklasiści** wracają ze szkoły, grupy **pierwszoklasistów**

pierwszy na mecie, do **pierwszej** godziny, **pierwsi** na szczycie

pierze
kilo **pierza**, poduszka z **pierzem**

Ptak miał bardzo lekkie pierze,
które złożył kołdrze w ofierze.

pies
sierść **psa**, spacer z **psem**, **psy** kudłate, szczekanie **psów**

ż

pieśń
śpiewanie **pieśni** ludowej, z **pieśnią** na ustach, zbiór **pieśni**

pietruszka
korzeń **pietruszki**, zupa z **pietruszką**, rzędy **pietruszek** w ogródku, witaminy w **pietruszkach**

pięciolatek w piaskownicy

pięciolinia pełna nut

pięciomiesięczny niemowlak

pięciopalczaste rękawice

pięć okien, **pięciu** braci, z **pięcioma** lub z **pięciu** paniami

pięćdziesiąt harcerek, brakuje w kasie **pięćdziesięciu** złotych, z **pięćdziesięcioma** lub z **pięćdziesięciu** złotymi

pięćset drzew, **pięciuset** klientów, z **pięciuset** słuchaczami

piękny widok, **piękni** ludzie, **piękniejszy** zwierzaczek

pięściarz
sukces **pięściarza**, wywiad z **pięściarzem**, **pięściarze** kadry narodowej, pojedynek **pięściarzy**

pięść
uderzył **pięścią** w stół, zacisnąć **pięści** lub **pięście**, wymachiwał **pięściami**

piętnaście stolików, **piętnastu** chłopców, pojechali z **piętnastoma** lub z **piętnastu** osobami

piętro
spotkanie na **piętrze**, **piętra** budynku, sześć **pięter**, pomiędzy **piętrami**

Zatrzymała się
pomiędzy piętrami
winda
z krzykliwymi pasażerami.

pigułka
zażyj **pigułkę**, **pigułki** z apteki, wielkość **pigułek**, fiolka z **pigułkami**

pilot
kabina **pilota**, Józek jest **pilotem**, **piloci** szybowców, kurs **pilotów**

piłka

rzut **piłką**, autograf piłkarza na **piłce**, kolorowe **piłki**, kilka **piłek**, półka z **piłkami**

piłkarz

koszulka **piłkarza**, mówiono o **piłkarzu**, **piłkarze** reprezentacji narodowej, trening **piłkarzy**

pinezka lub **pineska**

główka **pinezki**, ukłucie **pineską**, proporczyk wisiał na **pinezce**, pudełko **pinesek**, przypiąć **pinezkami**

piorun

błysk **pioruna**, **pioruny** uderzyły w drzewo, huk **piorunów**, burza z **piorunami**

piorunochron

montaż **piorunochronu**, dom z **piorunochronem**, metalowe **piorunochrony**, montaż **piorunochronów**

piosenkarz

kariera **piosenkarza**, plakat z **piosenkarzem**, **piosenkarze** śpiewają przeboje, plotki o **piosenkarzach**

piórnik

zawartość **piórnika**, długopis w **piórniku**, **piórniki** uczniów, rysunki na **piórnikach**

pióro

wieczne **pióro**, pisał **piórem**, marzył o **piórze**, **pióra** ze złotymi stalówkami, stalówki w **piórach**

pióropusz

sokole pióra są ozdobą **pióropusza**, wódz w **pióropuszu**, indiańskie **pióropusze**, kolekcja **pióropuszy** lub **pióropuszów**

pisać

piszę, piszesz, pisz!, pisał, pisali

pisarz

twórczość **pisarza**, spotkanie z **pisarzem**, **pisarze** polscy, nota o **pisarzach**

piżama

z **piżamą** do sanatorium, **piżamy** flanelowe, wybór **piżam**, dzieci w **piżamach**

Poważny pisarz
w piżamie w prążki
kolekcjonował
ciekawe książki.

piżamka
prasowanie **piżamek, piżamki** w różowe słoniki

PKP (czytaj: **pe-ka-pe**) – **Polskie Koleje Państwowe**, dworzec **PKP** – dworzec **pe-ka-pe**

Skracamy nazwy organizacji, łącząc pierwsze litery wyrazów, które je tworzą.

PKS (czytaj: **pe-ka-es**) – **Państwowa Komunikacja Samochodowa**, autobusy **PKS**-u – autobusy **pe-ka-e-su**

pkt (czytaj: **punkt**)
pkt 5. – **punkt** piąty

pl. (czytaj: **plac**)
pl. Sikorskiego 25/3 – **plac** Sikorskiego 25 przez 3

plac
defilada na **placu, place** miejskie, nazwy **placów**, handlował **placami**

plakatówka
maluj **plakatówką, plakatówki** w pudle, kolory **plakatówek**, akwarele z plakatówkami

Leży pisarz na plaży,
Nobel mu się marzy.

plaża
biegł **plażą**, leżenie na **plaży**, **plaże** nad Adriatykiem, piasek **plaż**, wczasowicze na **plażach**

plażowicz
ręcznik **plażowicza**, rozmowa z **plażowiczem**, **plażowicze** na kocach, opalone ciała **plażowiczów**

pchnąć
pchnę, pchniesz, pchnij!, pchnął, pchnęli

plener
brak ładnego **pleneru**, praca w **plenerze**, dobre **plenery**, wybór **plenerów**

pleść
plotę, pleciesz, pleć!, plótł, pletli
plomba
założenie **plomby**, wypadanie **plomb**
plotka
nie wierz **plotce**, wszystko było **plotką**, krążące **plotki**, skutki **plotek**
plotkarz
nikt nie zna imienia **plotkarza**, pogawędka z **plotkarzem**, **plotkarze** zawsze w parze, boję się **plotkarzy**
plus
nie ma znaku **plusa**, piątka z **plusem**, **plusy** i minusy, kilka **plusów**
płeć
cechy **płci**, z **płcią** przeciwną, dwie **płcie** lub **płci**; **płeć** piękna (kobiety), **płeć** brzydka (mężczyźni)
płetwonurek
sprzęt **płetwonurka**, reportaż o **płetwonurku**, **płetwonurkowie** głębinowi, klub **płetwonurków**

W ekwipunku
płetwonurka
była malusieńka
dziurka.

płomiennorudy kolor włosów
płótno
zwój **płótna**, malowanie na **płótnie**, wielkość **płócien**, obrazy na **płótnach**
pług
zakup **pługa**, orał **pługiem**, nowe **pługi**, kupno **pługów**
pływać
pływam, pływasz, pływaj!, pływał, pływali
p.n.e. (czytaj: **przed naszą erą**)
10 r. **p.n.e.** – dziesiąty rok **przed naszą erą**
pobiec lub **pobiegnąć**
pobiegnę, pobiegniesz, pobiegnij!, pobiegł, pobiegli
pobliski dom, **pobliskie** wsie, **pobliscy** mieszkańcy
pobliże domu, w **pobliżu** nie było nikogo
pobożny człowiek, **pobożni** ludzie, **pobożniejszy** ministrant

pobudka

sygnał **pobudki**, wstał przed **pobudką**, nie znosisz **pobudek**, śniadania po **pobudkach**

pocałunek

czar **pocałunku**, życzenia z **pocałunkiem**, gorące **pocałunki**, słodycz **pocałunków**

pochód

szedł na czele **pochodu**, udział w **pochodzie**, weselne **pochody**, uczestnicy **pochodów**

pochwalić

pochwalę, pochwalisz, pochwal!, pochwalił, pochwalili

pochwała

list z **pochwałą**, dowiedział się o **pochwale**, dostał mnóstwo **pochwał**

pociąg

spóźnienie **pociągu**, podróżowali **pociągiem**, **pociągi** ekspresowe, pasażerowie **pociągów**

pociągnąć

pociągnę, pociągniesz, pociągnij!, pociągnął, pociągnęli

po cichu czytał książeczkę

po co?

początek

czytam od **początku**, bocian wrócił z **początkiem** wiosny, miłe złego **początki**, nie znosił **początków**

poczta

budynek **poczty**, wysłał **pocztą**, znaczki na **poczcie**, ile **poczt** jest w Łebie?

pocztówka

widoczek na **pocztówce**, kolorowe **pocztówki**, wypisywanie **pocztówek**, stojak z **pocztówkami**

Wysyłał pocztówki
z widokiem Krakowa,
na których smok
przed owcą się chowa.

podać

podam, podasz, podaj!, podał, podali

podarunek
wybór **podarunku**, życzenia z miłym **podarunkiem**, **podarunki** imieninowe, bez **podarunków**

podążać
podążam, podążasz, podążaj!, podążał, podążali

podbiegunowy klimat

podczas budowy milkną rozmowy

Podczas spektaklu
rozległ się huk
i wszystkie baletki
pospadały z nóg.

podejrzewać
podejrzewam, podejrzewasz, podejrzewaj!, podejrzewał, podejrzewali

podejść
podejdę, podejdziesz, podejdź!, podszedł, podeszli

podkoszulek
suszenie **podkoszulka**, nadruk na **podkoszulku**, **podkoszulki** na sznurze, kolory **podkoszulków**

podnieść
podniosę, podniesiesz, podnieś!, podniósł, podnieśli

po drodze do kina wstąpili na lody

podróż
cel **podróży**, przed **podróżą**, dalekie **podróże**, opowieści o **podróżach**

podróżować
podróżuję, podróżujesz, podróżuj!, podróżował, podróżowali

podstawa
trójkąt jest **podstawą** ostrosłupa, na **podstawie** powieści, **podstawy** ortografii, nauka **podstaw**

podstawówka
uczeń **podstawówki**, ukończył **podstawówkę**, nauka w **podstawówkach**

Ó piszemy w zakończeniach
-ów, -ówna, -ówka.

poduszka
rzucił **poduszką**, kot śpi na **poduszce**, **poduszki** na łóżku, pierze w **poduszkach**

podważyć
podważę, podważysz, podważ!, podważył, podważyli

po dwóch wchodzili do sali

podwójny torcik poproszę!, **podwójna** porcja lodów

podwórko
szeryf **podwórka**, suszę pranie na **podwórku**, koledzy z **podwórek**, zabawy na **podwórkach**

podwórze
dom z dużym **podwórzem**, na **podwórzu** stoi auto z przyczepą, **podwórza** kamienic, historie starych **podwórzy**

podzielny tort, **podzielniejsza** uwaga

podziemny (czytaj: **pod-ziemny**) pociąg (metro)

podziękować
podziękuję, podziękujesz, podziękuj!, podziękował, podziękowali

po dziś dzień nie wiadomo, kim był ten człowiek z opaską na oku

podziwiać
podziwiam, podziwiasz, podziwiaj!, podziwiał, podziwiali

poeta
książka **poety**, wręczyć nagrodę **poecie**, spotkanie z **poetą,** **poeci** są jak dzieci, wiersze **poetów**

Spotkanie z poezją
wyszło mimochodem,
gdy poeta pędził
starym samochodem.

poezja
tomik **poezji**, **poezje** zebrane

pogróżka
list z **pogróżką**, opowiedzieć o **pogróżce**, pod presją **pogróżek**, listy z **pogróżkami**

pogrzeb
ceremonia **pogrzebu**, stypa po **pogrzebie**, uroczyste **pogrzeby**, kilka **pogrzebów**

Rz piszemy po spółgłoskach:
p, **b**, **t**, **d**, **k**, **g**, **ch**, **j**, **w**.

poić
poję, poisz, pój!, poił, poili

pojazd
koła **pojazdu**, siedzieli w **pojeździe**, **pojazdy** jednośladowe, wyścigi **pojazdów**

pojutrze odbędzie się wernisaż

pokaz
termin **pokazu**, wziąć udział w **pokazie**, **pokazy** mody, w trakcie **pokazów**

pokazać
pokażę, pokażesz, pokaż!, pokazał, pokazali

pokłócić się
pokłócę się, pokłócisz się, pokłóć się!, pokłócił się, pokłócili się

pokochać
pokocham, pokochasz, pokochaj!, pokochał, pokochali

po kolei lekarz czytał nazwiska

pokój
sprzątał w **pokoju**, przed **pokojem**, dwa **pokoje**, malowanie **pokoi** lub **pokojów**

pokrzywa
ściął **pokrzywę**, ślad po **pokrzywie**, wpadł w **pokrzywy**, herbatka z **pokrzyw**

pole
kupno **pola**, zboże na **polu**, uprawa **pól**, urodzaj na żyznych **polach**

policja
interwencja **policji**, współpraca z **policją**

policjant
akcja **policjanta**, spotkanie z **policjantem**, **policjanci** w mundurach, patrol **policjantów**

Polka (zobacz **Polska**)

polka (taniec) orkiestra zagrała **polkę**, kroki w **polce**, tańczyć **polki**

polonez
tańczymy **poloneza**, rytm **polonezów**; jeździmy **polonezem**, **polonezy** na parkingu

Polska
regiony **Polski**, rajdy po **Polsce**, **Polak** mały, piękne **Polki**, **polski** krajobraz, **polska** gościnność

Wielką literą piszemy nazwy **państw** i **mieszkańców państw**.

polubić
polubię, polubisz, polub!, polubił, polubili

połknąć
połknę, połkniesz, połknij!, połknął, połknęli

położyć
położę, położysz, połóż!, położył, położyli

połów
pora **połowu**, przed **połowem**, **połowy** ryb, udanych **połowów**

połówka
zjadł **połówkę** czekolady, dostali po **połówce** jabłka, kilka **połówek**, w **połówkach** orzecha

południe
około **południa**, na **południu** kraju

pomarańcza
zjadł **pomarańczę**, kilogram **pomarańcz** lub **pomarańczy**, witaminy w **pomarańczach**

Policjant kupił
kilogram pomarańczy
i teraz z radości
piękną polkę tańczy.

pomiędzy nocą a dniem
pomimo to był niezadowolony
pomóc
pomogę, pomożesz, pomóż!, pomógł, pomogli
ponad wszystkim unosił się balon
ponieważ nikt nie zadzwonił, poczuł się urażony
pończocha
załóż **pończochę**, oczko w **pończosze**, cienkie **pończochy**, nogi w **pończochach**
popatrzeć lub **popatrzyć (się)**
popatrzę, popatrzysz, popatrz!, popatrzał lub popatrzył, popatrzeli lub popatrzyli
popiół
kolor **popiołu**, popielniczka z **popiołem**, **popioły** wulkaniczne, kupka **popiołów**
popołudnie
późnym **popołudniem**, spacery w niedzielne **popołudnia**
po południu pójdę na basen
poprosić
poproszę, poprosisz, poproś!, poprosił, poprosili
poprzeczka
spod **poprzeczki**, podnosić **poprzeczkę**, pod **poprzeczką**, siedział na **poprzeczce**, nie zrzucić **poprzeczek**, przeciągnąć linę nad **poprzeczkami**
poprzeć
poprę, poprzesz, poprzyj!, poparł, poparli
poprzedni podręcznik, wspomnienie **poprzednich** lat, **poprzedni** właściciele
poprzez góry i lasy niósł w plecaku duże zapasy
popsuć
popsuję, popsujesz, popsuj!, popsuł, popsuli
por (warzywo)
korzeń **pora**, nie zapomnij o **porze**, zielone **pory**, sałatka z **porów**
pora
przyszedłem nie w **porę**, o tej **porze**?, **pory** dnia, charakterystyka **pór** roku

Nadeszła właściwa pora,
by kupić dobrego pora.

porażka
mecz skończył się **porażką**, nauka tkwi w **porażce**, **porażki** naszej drużyny, smak **porażek**

poręcz
zjechał po **poręczy**, pod **poręczą**, **poręcze** fotela, bez **poręcz**, rysy na **poręczach**

portfel
zawartość **portfela** lub **portfelu**, **portfele** skórzane, złodziej **portfeli** lub **portfelów**

porządnie się wysypiał, **porządniej** odrabiaj lekcje!

porzeczka
zjadł **porzeczkę**, co mi po jednej **porzeczce**, kosz **porzeczek**, krzew cały w **porzeczkach**

Po południu siedział
na działeczce
i poświęcał się
tylko porzeczce.

portiernia
recepcjonista na **portierni**, **portiernie** hotelowe

porządek
brak **porządku**, kłopot z **porządkiem**, **porządki** wiosenne, z nowymi **porządkami**

porządkować
porządkuję, porządkujesz, porządkuj!, porządkował, porządkowali

posążek
kradzież **posążka**, rysa na **posążku**, **posążki** z brązu, wystawa **posążków**

po sąsiedzku mieszkali dwaj bracia

posprzątać
posprzątam, posprzątasz, posprzątaj!, posprzątał, posprzątali

postać
charakterystyka **postaci**, identyfikować się z **postacią**, **postacie** lub **postaci** dramatu, mówił o złych **postaciach**

postąpić
postąpię, postąpisz, postąp! postąpił, postąpili

postępować
postępuję, postępujesz, postępuj!, postępował, postępowali

posunąć (się)
posunę, posuniesz, posuń!, posunął, posunęli

poszewka
poduszka w **poszewce**, dwie **poszewki**, kupno **poszewek**, komplet pościeli z **poszewkami**

poszukać
poszukam, poszukasz, poszukaj!, poszukał, poszukali

pośpieszny lub **pospieszny** pociąg, **pośpieszne** lub **pospieszne** wyjście

pośród gór i rzek szukaliśmy

> Ó piszemy, gdy w innych formach tego samego wyrazu lub w wyrazach pokrewnych następuje wymiana na litery: o, a, e.

potęga
uległ **potędze** miłości, tyć na **potęgę**, kraj był **potęgą**, dwie **potęgi**

potężny żubr, **potężne** niedźwiedzie, **potężniejsza** budowla; **potężni** władcy

potrójny sznur korali

W potrójnym sznurze korali
wyglądała pięknie na gali.

potrząsać
potrząsam, potrząsasz, potrząsaj!, potrząsał, potrząsali

potrząsnąć
potrząsnę, potrząśniesz, potrząśnij!, potrząsnął, potrząsnęli

potrzebny ratunek, **potrzebni** strażacy, **potrzebniejszy** niż sól

potrzebować
potrzebuję, potrzebujesz, potrzebuj!, potrzebował, potrzebowali

potwór
widziałem **potwora**, historia o **potworze**, **potwory** w baśniach, paszcze **potworów**

powiedzieć

powiem, powiesz, powiedz!, powiedział, powiedzieli

powierzchnia

brak **powierzchni** do życia, wydobywać na **powierzchnię**, żyją pod **powierzchnią** ziemi, **powierzchnie** wody

powietrze

brak **powietrza**, babie lato w **powietrzu**

powód

krzyknął bez **powodu**, z nieznanych **powodów**

powódź

ofiary **powodzi**, tuż przed **powodzią**, wiosenne **powodzie**, ochrona przed **powodziami**

powóz

wsiedli do **powozu**, siedzieli w **powozie**, **powozy** czterokonne, wyścig **powozów**

powrót

termin **powrotu**, przed **powrotem** do domu, wieczorne **powroty**, pora **powrotów**

powróżyć

powróżę, powróżysz, powróż!, powróżył, powróżyli

powtarzać

powtarzam, powtarzasz, powtarzaj!, powtarzał, powtarzali

powtórka

temat **powtórki**, stres przed **powtórką**, po **powtórce**, na **powtórkach** minął dzień

powtórzyć

powtórzę, powtórzysz, powtórz!, powtórzył, powtórzyli

pozór

zachowanie **pozoru**, pod żadnym **pozorem**, zachowywał **pozory** dobrego wychowania, gra **pozorów**

pożar

ofiary **pożaru**, zginął w **pożarze**, **pożary** w mieście, gaszenie **pożarów**

pożegnanie
słowa **pożegnania**, wzruszył się **pożegnaniem**, łzy **pożegnań**

pożreć
pożrę, pożresz, pożryj!, pożarł, pożarli

pożyczać
pożyczam, pożyczasz, pożyczaj!, pożyczał, pożyczali

pożyczka
spłata **pożyczki**, zaciągnąć **pożyczkę**, kupił po **pożyczce**, tonął w **pożyczkach**

pożyczyć
pożyczę, pożyczysz, pożycz!, pożyczył, pożyczyli

pożyteczny wynalazek, **pożyteczne** sprzęty, **pożyteczniejszy** od poprzedniego

pójść
pójdę, pójdziesz, pójdź!, poszedł, poszli

Póty się piłeczką bawił,
póki jej nie przedziurawił.

pół miesiąca, w **pół** słowa

półeczka
słonik na **półeczce**, szafa z **półeczką**, **półeczki** drewniane, bułeczki na **półeczkach**

półgłosem mówił grubym głosem

półka
leżą na **półce**, drewniane **półki**, obok **półek**, pod **półkami**

półkilometrowy korek

półkula kształt **półkuli**, kilka **półkul**

pół na pół dzielimy odnaleziony skarb

północ
około **północy**, nie kładł się przed **północą**

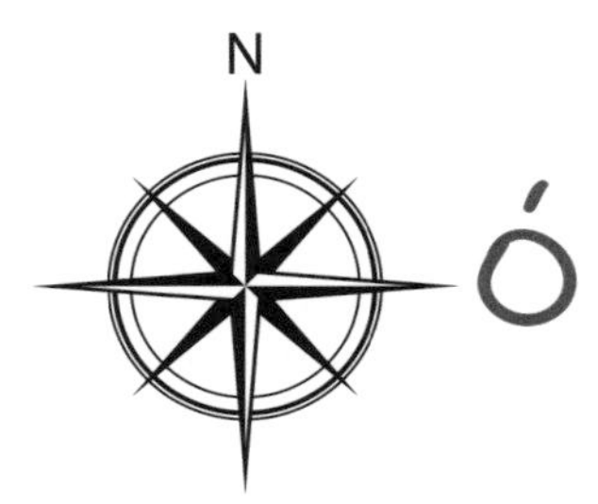

półtora metra, operacja za
półtora tygodnia, ćwiczyli
półtorej godziny

półtoragodzinny trening

późno się zrobiło, **później** przyjdę do ciebie

prać
piorę, pierzesz, pierz!, prał, prali

prąd
dopływ **prądu**, płynął z **prądem**, **prądy** morskie, brak morskich **prądów**

prążek
cieniutki **prążek**, sukienka w **prążki**, kolory **prążków**, cały w **prążkach**

prezent
nie dostał **prezentu**, niespodzianka w **prezencie**, **prezenty** gwiazdkowe, wiele **prezentów**

prezydent
urząd **prezydenta**, wybrano **prezydenta**, rozmowy o **prezydencie**, **prezydenci** miast

prima aprilis – 1 kwietnia
dziś **prima aprilis**!

primaaprilisowy żart, **primaaprilisowi** dowcipnisie

produkować
produkuję, produkujesz, produkuj!, produkował, produkowali

prof. (czytaj: **profesor**)
prof. Zenobiusz Ważniak – **profesor** Zenobiusz Ważniak

profesor
katedra **profesora**, rozmowa z **profesorem**, **profesorowie** lub **profesorzy** uniwersytetu, wykłady **profesorów**

Profesor nosił garnitur
w prążki,
lubił jeść ptysie
i kochał książki.

prosić
proszę, prosisz, proś!, prosił, prosili

prosić się (o śwince)
prosi się, prosiła się

prosię
ryjek **prosięcia**, nieduże **prosięta**, para **prosiąt**, chlewik z **prosiętami**

Ę piszemy w zakończeniach rzeczowników rodzaju nijakiego.

prośba
miał **prośbę**, chodził po **prośbie**, **prośby** o zapomogę, spełnianie **próśb**

próba
przed **próbą** generalną, po **próbie**, **próby** przedstawienia, bywał na **próbach**

próbować
próbuję, próbujesz, próbuj!, próbował, próbowali

próg
leżał na **progu**, ukrył pod **progiem**, **progi** domowe, mycie **progów**

prószyć
prószę, prószysz, prósz!, prószył, prószyli

próżniak
los **próżniaka**, jesteś **próżniakiem**, mali **próżniacy**, wakacje **próżniaków**

próżnować
próżnuję, próżnujesz, próżnuj!, próżnował, próżnowali

przebiśnieg
kwiaty **przebiśniegu**, **przebiśniegi** na łące, bukiet **przebiśniegów**

przebój
melodia **przeboju**, była **przebojem** lata, ostatnie **przeboje**, lista **przebojów**

Wąż pełznął przez życie
przebojem
i szokował wszystkich
strojem.

przebrać się
przebiorę się, przebierzesz się, przebierz się!, przebrał się, przebrali się

przechadzka
podwieczorek po **przechadzce**, wspólne **przechadzki**, podczas **przechadzek**

Rz piszemy po spółgłoskach:
p, **b**, **t**, **d**, **k**, **g**, **ch**, **j**, **w**.

przechodzić
przechodzę, przechodzisz, przechodź!, przechodził, przechodzili

przeciąć
przetnę, przetniesz, przetnij!, przeciął, przecięli
przecież nikt nie będzie się teraz wracał
przecinać
przecinam, przecinasz, przecinaj!, przecinał, przecinali
przecinek
brak **przecinka**, wyrazy po **przecinku**, **przecinki** w zdaniu, kilka **przecinków**
przeciw komu występujesz?
przeciwbólowy środek
przeciwniczka
odmienne poglądy **przeciwniczki**, w finale biegu miała pięć **przeciwniczek**

Rz piszemy po spółgłoskach:
p, **b**, **t**, **d**, **k**, **g**, **ch**, **j**, **w**.

przeciwnik
atak **przeciwnika**, walka z **przeciwnikiem**, silni **przeciwnicy**, starcie **przeciwników**
przed domem stał srebrzysty mercedes
przede mną zatrzymała się taksówka
przede wszystkim nie zapomnij o mamie
przedmiot
znawca **przedmiotu**, rysy na **przedmiocie**, **przedmioty** obowiązkowe, kilka **przedmiotów**
przed naszą erą (skrót **p.n.e.**)
przedpokój
mieszkanie z **przedpokojem**, parasol w **przedpokoju**, długie **przedpokoje**, sprzątanie **przedpokoi** lub **przedpokojów**

Dziadek stawał w przedpokoju
i tam grywał na oboju.

przedpołudnie minęło nudnie, wolne **przedpołudnie**, kilka **przedpołudni**
przedstawienie
kłopoty z **przedstawieniem**, w **przedstawieniu** brakowało muzyki, **przedstawienia** teatralne, recenzje **przedstawień**

przedszkolak
worek **przedszkolaka**,
zabawa z **przedszkolakiem**,
przedszkolaki na spacerze,
piosenki dla **przedszkolaków**

przedszkole
park wokół **przedszkola**, dzieci
w **przedszkolu**
przedtem było przyjemniej
przed tym domem rośnie świerk
przedwczoraj wróciliśmy z wakacji
przedwiośnie
początek **przedwiośnia**,
cieplejsze dni nastały wraz
z **przedwiośniem**

Po przedwiośniu przyszła wiosna
bardzo rześka i radosna.

przedział
numer **przedziału**, miejsce
w **przedziale**, **przedziały**
w pociągu, sprzątanie
przedziałów

przeglądać
przeglądam, przeglądasz,
przeglądaj!, przeglądał,
przeglądali
przegroda
budowa **przegrody**, dziura
w **przegrodzie**, wiele **przegród**
w stajni, krowy w **przegrodach**
przegródka
szafka z **przegródką**, pismo
w **przegródce**, **przegródki**
na dokumenty, dziesięć
przegródek
przejazd
brak **przejazdu**, na **przejeździe**
tramwajowym, **przejazdy**
kolejowe, szlabany przed
przejazdami
przejechać
przejadę, przyjedziesz,
przejedź!, przejechał,
przejechali
przejeżdżać
przejeżdżam, przejeżdżasz,
przejeżdżaj!, przejeżdżał,
przejeżdżali

przejrzysty jak szyba, **przejrzyści** jak duchy, **przejrzystszy** po umyciu

przejść
przejdę, przejdziesz, przejdź!, przeszedł, przeszli

przekonać
przekonam, przekonasz, przekonaj!, przekonał, przekonali

przekora
argument z **przekory**, mówił z **przekorą**

przekrój
rysunek był **przekrojem**, widok w **przekroju**, **przekroje** Ziemi, rysunek **przekrojów**

przekrzyczeć
przekrzyczę, przekrzyczysz, przekrzycz!, przekrzyczał, przekrzyczeli

przekupić
przekupię, przekupisz, przekup!, przekupił, przekupili

przełęcz
wracali **przełęczą**, obóz na **przełęczy**, dwie **przełęcze**, śnieg na **przełęczach**

przemysł
rozwój **przemysłu**, rozmawiali o **przemyśle**

przemysłowy zakład

przepaść (urwisko)
na krawędzi **przepaści**, zawisnął nad **przepaścią**, groźne **przepaście**, dużo **przepaści**

przepięknie położone plaże

przepiękny poranek, **przepiękna** twarz, dziewczyna o **przepięknych** oczach, **przepiękni** młodzieńcy

Przepiękne wyrosło drzewo
w dużej przestrzeni na lewo.

przepiórka
bażant z **przepiórką**, opowiadał o **przepiórce**, **przepiórki** na polu, gniazda **przepiórek**

przepis
przestrzegać **przepisów**, **przepisy** drogowe, zgodnie z **przepisami**

przeprać
przepiorę, przepierzesz, przepierz!, przeprał, przeprali

przepraszać
przepraszam, przepraszasz, przepraszaj!, przepraszał, przepraszali

przeprosić
przeproszę, przeprosisz, przeproś!, przeprosił, przeprosili

przeprowadzka
termin **przeprowadzki**, myślał o **przeprowadzce**, samochód służący do **przeprowadzek**, pomagał w **przeprowadzkach**

przepyszny obiad

przerażający krzyk, **przerażające** wieści

> Rz piszemy po spółgłoskach:
> **p**, **b**, **t**, **d**, **k**, **g**, **ch**, **j**, **w**.
>
> Ż piszemy, gdy w formach tego samego wyrazu lub w wyrazach pokrewnych ulega wymianie na:
> **g**, **h**, **s**, **z**, **ź**, **dz**.

przerwa
przed **przerwą**, po **przerwie**, w **przerwach** spektaklu, kilka **przerw**

przestroga
ku **przestrodze**, wystrzał był **przestrogą**, **przestrogi** taty, udzielił wielu **przestróg**

przestrzeń
szybował w **przestrzeni**, **przestrzenie** kosmiczne

przesyłka
zawartość **przesyłki**, adres na **przesyłce**, ważenie **przesyłek** na poczcie, wózek pocztowy z **przesyłkami**

przeszkoda
kamień był **przeszkodą**, coś stanęło na **przeszkodzie**, omijaj **przeszkody**, napotkali wiele **przeszkód**

przeszłość
wspomnienia **przeszłości**, żyła **przeszłością**

prześcieradło
wymiary **prześcieradła**, wzorki na **prześcieradle**, suszenie **prześcieradeł**, poszewki z **prześcieradłami**

prześlicznie wyglądasz, śpiewała **prześlicznie**

prześliczny widok, **prześliczna** panienka, **prześliczni** malcy

przewodniczący
wybrano **przewodniczącego**, rozmawiałem z **przewodniczącym**, dwaj **przewodniczący**, spotkanie **przewodniczących**

Nowy przewodniczący
przeziębił się niechcący,
chociaż ziąb był istotnie
niezmiernie przejmujący.

przewrócić się
przewrócę się, przewrócisz się, przewróć się!, przewrócił się, przewrócili się

przez rok cały biedroneczki domagały się wycieczki

przeziębić się
przeziębię się, przeziębisz się, przeziębił się!, przeziębił się, przeziębili się

przezrocze lub **przeźrocze**
kolorowe **przezrocza**, oglądanie **przezroczy**, pudełka z **przezroczami**, widoczki na **przezroczach**

przezroczystość lub **przeźroczystość**
brak temu szkłu **przezroczystości**

przezroczysty lub **przeźroczysty**
jak powietrze, **przezroczyste** tkaniny

przezwyciężyć
przezwyciężę, przezwyciężysz, przezwycięż!, przezwyciężył, przezwyciężyli

przeżyć
przeżyję, przeżyjesz, przeżyj!, przeżył, przeżyli

przeżywać
przeżywam, przeżywasz, przeżywaj!, przeżywał, przeżywali

przód
poszedł do **przodu**, obrócić się **przodem**, na **przodzie** lub **przedzie**, efektowne **przody**, kilka **przodów**

prztyczek
dostał **prztyczka**, **prztyczki** w nos

przybliżyć
przybliżę, przybliżysz, przybliż!, przybliżył, przybliżyli

przychodnia
kolejka przed **przychodnią**, wizyta w **przychodni**, **przychodnie** specjalistyczne, szpitale z **przychodniami**

przydrożny rów pełen kaczeńców

W przydrożnym rowie
zbierał kaczeńce,
mówił do siebie:
„Dam je Bożence".

przygoda
spotkanie z **przygodą**, nasze **przygody**, mieli wiele **przygód**, książka o **przygodach** strusia

przygotować
przygotuję, przygotujesz, przygotuj!, przygotował, przygotowali

przyjaciel
szukam **przyjaciela**, spotkanie z **przyjacielem**, moi **przyjaciele**, w gronie **przyjaciół**, rozmowy z **przyjaciółmi**

przyjaciółka
wizyta **przyjaciółki**, ufam mojej **przyjaciółce**, zwierzenia **przyjaciółek**, ploteczki z **przyjaciółkami**

przyjazd
dzień **przyjazdu**, po **przyjeździe** na miejsce, **przyjazdy** i odjazdy, czas **przyjazdów**

przyjaźnić się
przyjaźnię się, przyjaźnisz się, przyjaźnij się!, przyjaźnił się, przyjaźnili się

przyjaźń
koniec z **przyjaźnią**, **przyjaźnie** szkolne, wspomnienie wielkich **przyjaźni**, opowieści o **przyjaźniach**

przyjechać
przyjadę, przyjedziesz, przyjedź!, przyjechał, przyjechali

przyjemność
sprawianie **przyjemności**, ulegam **przyjemnościom**, z **przyjemnością** przyjmę zaproszenie, po **przyjemnościach** czas na pracę

Sprawiał psu przyjemność gość,
bo przynosił smaczną kość.

przyjeżdżać
przyjeżdżam, przyjeżdżasz, przyjeżdżaj!, przyjeżdżał, przyjeżdżali

przyjrzeć się
przyjrzę się, przyjrzysz się, przyjrzyj się!, przyjrzał się, przyjrzeli się

przyjść
przyjdę, przyjdziesz, przyjdź!, przyszedł, przyszli

przykład
nie podano **przykładu**, na **przykładzie**, **przykłady** zadań, kilka **przykładów**

przykry zapach, **przykrzy** ludzie, **przykrzejszy** niż pokrzywa

przymiotnik
końcówki **przymiotnika**, określony **przymiotnikiem**, dwa **przymiotniki**, odmiana **przymiotników**

przynieść
przyniosę, przyniesiesz, przynieś!, przyniósł, przynieśli

przypadek (zdarzenie) ofiara **przypadku**, dwa **przypadki**

przypadek (forma odmiany) nazwa **przypadka**, odmiana przez **przypadki**, formy **przypadków**

przypomnieć
przypomnę, przypomnisz, przypomnij!, przypomniał, przypomnieli

przyprawić
przyprawię, przyprawisz, przypraw!, przyprawił, przyprawili

przyprószyć
przyprószę, przyprószysz, przyprósz!, przyprószył, przyprószyli

Przyprószyło śniegiem
i bardzo zawiało –
ogrzewaj herbatką
swe zmarznięte ciało.

przyroda
lekcje **przyrody**, zainteresowanie **przyrodą** Bieszczad, program o **przyrodzie**

przyrząd
sprawdzanie **przyrządu**, pracuję na specjalnym **przyrządzie**, **przyrządy** gimnastyczne, ćwiczenia na **przyrządach**

przyrzec
przyrzeknę, przyrzekniesz, przyrzeknij!, przyrzekł, przyrzekli

przysiąc lub **przysięgnąć**
przysięgnę, przysięgniesz, przysięgnij!, przysiągł, przysięgli

przysięga
słowa **przysięgi**, zeznawał pod **przysięgą**, żołnierz po **przysiędze**, złożono kilka **przysiąg**

przysięgać
przysięgam, przysięgasz, przysięgaj!, przysięgał, przysięgali

przysłowie
posłużył się **przysłowiem**, pamiętaj o **przysłowiu**, popularne **przysłowia**, mądrość **przysłów** ludowych

przysłówek
końcówka **przysłówka**, zdanie z **przysłówkiem**, **przysłówki** są nieodmienne, lekcja o **przysłówkach**

przysługa
proszono mnie o **przysługę**, mówił o **przysłudze**, przyjacielskie **przysługi**, wyświadczono **przysług** wiele

przysłużyć się
przysłużę się, przysłużysz się, przysłuż się!, przysłużył się, przysłużyli się

przysmak
marzenie o **przysmaku**, wigilijne **przysmaki**, talerz **przysmaków**, uczta z **przysmakami**

przysmażyć
przysmażę, przysmażysz, przysmaż!, przysmażył, przysmażyli

przystanek
czekam na **przystanku**, **przystanki** tramwajowe, ludzie na **przystankach**

przystań
właściciel **przystani**, **przystanie** rybackie, łodzie na **przystaniach**

przy stole zasiadła cała rodzina

przystroić
przystroję, przystroisz, przystrój!, przystroił, przystroili

przystrzyc
przystrzygę, przystrzyżesz, przystrzyż!, przystrzygł, przystrzygli

przyszłość
zapowiedź **przyszłości**, dziewczyna z **przyszłością**

przytomność umysłu uratowała wielu

przytulić
przytulę, przytulisz, przytul!, przytulił, przytulili

przytyć
przytyję, przytyjesz, przytyj!, przytył, przytyli

Choć przytyć się
bał przystojniaczek,
uwielbiał wieprzowiny
smaczek.

przy tym nie była wcale miła

przywędrować
przywędruję, przywędrujesz, przywędruj!, przywędrował, przywędrowali

przywieźć
przywiozę, przywieziesz, przywieź!, przywiózł, przywieźli

przywitać
przywitam, przywitasz, przywitaj!, przywitał, przywitali

przywódca
rozkazy **przywódcy**, wygnano **przywódców** powstania, **przywódcom** udzielono instrukcji

pstrąg
złowiłem **pstrąga**, wrócił z dużym **pstrągiem, pstrągi** w galarecie, nie lubię **pstrągów**

Pstrąg dziś leżał w galarecie
i nie myślał już o świecie.

psuć
psuję, psujesz, psuj!, psuł, psuli

psycholog
wizyta u **psychologa**, rozmowa z **psychologiem**, **psycholodzy** lub **psychologowie** z przychodni, porady **psychologów**

pszczelarz
ule **pszczelarza**, **pszczelarzowi** pszczoły nie dokuczają, **pszczelarze** zbierają miód, przyjaźń z **pszczelarzami**

pszczeli miód, **pszczele** żądło

pszczoła
bajka o **pszczole**, **pszczoły** na łąkach, rój **pszczół**

pszczółka
kwiatek z **pszczółką**, pyłek na **pszczółce**, pracowite **pszczółki**, rozprawka o **pszczółkach**

pszenica
łany **pszenicy**, worki z **pszenicą**

WYJĄTEK!
Po spółgłoskach **k**, **p**, **w** piszemy niekiedy **sz**.

puchacz
głos **puchacza**, **puchacze** pohukują nocą, kryjówki **puchaczy**

puchar
blask **pucharu**, nazwiska na **pucharze**, złote **puchary**, wręczenie **pucharów**

pudło
pakowanie do **pudła**, telewizor w **pudle**, stos **pudeł**, prezenty w **pudłach**

pukać
pukam, pukasz, pukaj!, pukał, pukali

pułk
dowódca **pułku**, starcie z **pułkiem**, **pułki** piechoty, dowódcy **pułków**

punkt
oznaczenie **punktu**, stanęli w **punkcie**, liczą się **punkty**, przewaga **punktów**, gramy na **punkty**

punktualnie przybyli na spotkanie

purpura
kolor **purpury**, okryty **purpurą**, król w **purpurze**

pusty dzban

pustynia
życie na **pustyni**, wędrowali przez **pustynię**, **pustynie** Afryki, nawadnianie **pustyń**, sen o **pustyniach**

pustynny krajobraz, **pustynni** ludzie (Beduini)

puszczać
puszczam, puszczasz, puszczaj!, puszczał, puszczali

puszka
upuścił **puszkę**, etykieta na **puszce**, **puszki** groszku, ryby w **puszkach**

puszysty sweterek

Puszysty sweter, puszystszy kotek,
a jeszcze bardziej wełenki motek.

puścić
puszczę, puścisz, puść!, puścił, puścili

pycha
co za **pycha**!, uczucie **pychy**, uniósł się **pychą**, zapomnij o **pysze**

R

r. (czytaj: **rok**)

Jasiek urodził się w 2008 **r.** (w dwa tysiące ósmym **roku**)

rabarbar

kompot z **rabarbaru**, ciasto z **rabarbarem**

rach-ciach lub **rachu-ciachu**

skończyliśmy robotę

rachunek

niezapłacenie **rachunku**, pieczątka pod **rachunkiem**, **rachunki** za prąd, wystawianie **rachunków**; zrobić **rachunek** sumienia

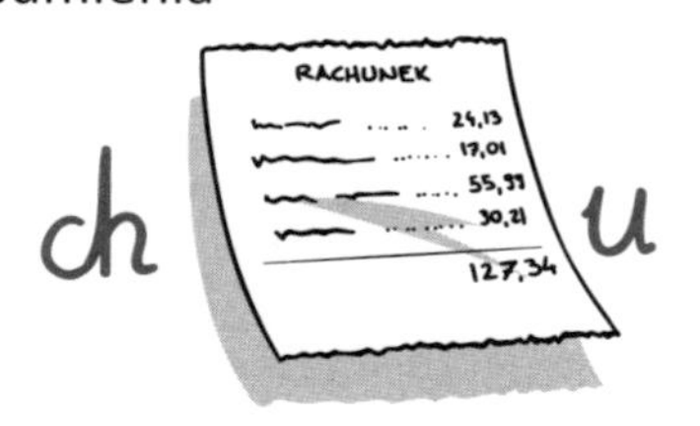

radar

antena **radaru**, dźwięk w **radarze**, **radary** wojskowe, sygnały z **radarów**

radio

słucham **radia**, pracował w **radiu** lub w **radio**, informowano w **radiach**

radiowóz

sygnał **radiowozu**, stali przed **radiowozem**, policyjne **radiowozy**, sznur **radiowozów**

rajstopy

kolorowe **rajstopy**, dostawa **rajstop**, chodzić w **rajstopach**

rajtuzy

para **rajtuzów**, w ciepłych **rajtuzach**

Siedział w rajtuzach
w radiowozie,
w radiu usłyszał
o mądrej kozie.

ramię

stłuczenie **ramienia**, objął **ramieniem**, szerokie **ramiona**, trzymał ją w **ramionach**

ranić

ranię, ranisz, rań!, ranił, ranili

ratunek

wzywanie **ratunku**, zdążyli z **ratunkiem**

> **U** piszemy w wyrazach zakończonych na -**un**, -**unek**, -**unka**.

ratusz
wieża **ratusza**, obrady w **ratuszu**, miejskie **ratusze**, budynki **ratuszy** lub **ratuszów**

raz
pewnego **razu**, dwa **razy**; dostał parę **razów** (zostać pobitym)

raz-dwa posprzątali w pokoju

razić
rażę, razisz, raź!, raził, razili

raz na zawsze to sobie zapamiętaj!

raz po raz stukał do drzwi

rąbać
rąbię, rąbiesz, rąb!, rąbał, rąbali

rączka
podaj **rączkę**, cukierek w **rączce**, brudne **rączki**, mycie **rączek**; złota **rączka** (o kimś, kto potrafi wszystko zrobić, naprawić)

rebus
rozwiązanie **rebusu**, hasło w **rebusie**, trudne **rebusy**, entuzjasta **rebusów**

reguła
zakon o surowej **regule**, spisane **reguły**, znajomość **reguł**, określone **regułami**

reklama
temat **reklamy**, przed **reklamą**, w **reklamie** telewizyjnej, ciąg **reklam**

reklamówka
nazwa firmy na **reklamówce**, **reklamówki** produktów, drukowanie **reklamówek**, aktor w **reklamówkach**

religia
lekcja **religii**, przed **religią**, dwie **religie**, nauka o **religiach** Dalekiego Wschodu

repertuar
dobór **repertuaru**, dzieła w **repertuarze**, **repertuary** festiwalowe, wgląd do **repertuarów**

reportaż
temat **reportażu**, reklama przed **reportażem**, **reportaże** z pola walki, cykl **reportażów** lub **reportaży**

To reportaż
o lemurach,
które chodzą z głową
w chmurach.

reporter
odwaga **reportera**, jestem **reporterem**, **reporterzy** stacji telewizyjnych, relacje **reporterów**

restauracja
nazwa **restauracji**, zatrzymał się przed **restauracją**, chińskie **restauracje**, jadali w **restauracjach**

rewanż
domagał się **rewanżu**, przed **rewanżem**, **rewanże** piłkarskie, wyniki **rewanżów**

rezultat
brak **rezultatu**, w **rezultacie**, oczekiwane **rezultaty**, bez pozytywnych **rezultatów**

reżyser
nazwisko **reżysera**, wywiad z **reżyserem**, **reżyserzy** lub **reżyserowie** polscy, filmy młodych **reżyserów**

Wolał być dobrym fryzjerem niż marnym reżyserem.

ręka
podanie **ręki**, trzymać w **ręce** lub w **ręku**, dwie **ręce** lub dwoje **rąk**, pracujemy **rękami** lub **rękoma**, stanie na **rękach**

rękaw
mankiet **rękawa**, dziurka w **rękawie**, **rękawy** koszuli, kieszenie na **rękawach**

rodzeństwo
imieniny **rodzeństwa**, wspominali o **rodzeństwie**

rodzic
obowiązki **rodzica**

rodzice
nasi **rodzice**, masz obydwoje **rodziców**?, opowiem o **rodzicach**

rodzina
wiadomość dla **rodziny**, z moją **rodziną**, mówił o **rodzinie**, dzieci w **rodzinach**

rondel
wielkość **rondla**, gotował w **rondlu**, **rondle** cynkowe, obiad w **rondlach**

ropucha

kałuża z **ropuchą**, bajka o **ropusze**, **ropuchy** na stawie, gatunki **ropuch**

rosnąć

rosnę, rośniesz, rośnij!, rósł, rośli

rosół

talerz **rosołu**, oka w **rosole**, **rosoły** z makaronem, mistrzyni **rosołów**

Tłuste są oka
w rosole,
więc ja chudy krupnik wolę.

rowerzysta

strój **rowerzysty**, ustąp **rowerzyście**, **rowerzyści** na starcie, rajd **rowerzystów**

rozbój

ofiara **rozboju**, **rozboje** na drogach, kilka **rozbojów**, brał udział w **rozbojach**

rozbójnik

przebranie **rozbójnika**, spotkanie z **rozbójnikiem**, **rozbójnicy** ukryli skarby, złapano **rozbójników**

rozchmurzyć się

rozchmurzę się, rozchmurzysz się, rozchmurz się!, rozchmurzył się, rozchmurzyli się

rozciąć

rozetnę, rozetniesz, rozetnij!, rozciął, rozcięli

rozczochrać się

rozczochram się, rozczochrasz się, rozczochraj się!, rozczochrał się, rozczochrali się

rozdrażnić

rozdrażnię, rozdrażnisz, rozdrażnij!, rozdrażnił, rozdrażnili

rozdział

koniec **rozdziału**, w pierwszym **rozdziale**, **rozdziały** powieści, kilka **rozdziałów**

rozebrać
rozbiorę, rozbierzesz, rozbierz!, rozebrał, rozebrali

rozejrzeć się
rozejrzę się, rozejrzysz się, rozejrzyj się!, rozejrzał się, rozejrzeli się

rozgrzewka
początek **rozgrzewki**, drużyna jest po **rozgrzewce**, pora **rozgrzewek**

rozjechać
rozjadę, rozjedziesz, rozjedź!, rozjechał, rozjechali

rozjeżdżać
rozjeżdżam, rozjeżdżasz, rozjeżdżaj!, rozjeżdżał, rozjeżdżali

rozkaz
wydanie **rozkazu**, pismo z **rozkazem** króla, **rozkazy** dowódcy, wydawanie **rozkazów**

rozkręcić
rozkręcę, rozkręcisz, rozkręć!, rozkręcił, rozkręcili

rozmowa
w trakcie **rozmowy**, przed **rozmową**, i już po **rozmowie**, szmer **rozmów**

rozmówca
głos **rozmówcy**, trzech **rozmówców**

Ó piszemy, gdy w innych formach tego samego wyrazu lub w wyrazach pokrewnych następuje wymiana na litery: o, a, e.

rozpęd
nabrał **rozpędu**, w wielkim **rozpędzie**

rozpiąć
rozepnę, rozepniesz, rozepnij! rozpiął, rozpięli

rozpłakać się
rozpłaczę się, rozpłaczesz się, rozpłacz się!, rozpłakał się, rozpłakali się

rozpocząć
rozpocznę, rozpoczniesz, rozpocznij!, rozpoczął, rozpoczęli

rozpuszczalnik
zapach **rozpuszczalnika**, malarz mył ręce **rozpuszczalnikiem**, **rozpuszczalniki** tłuszczów, zapach **rozpuszczalników**

rozpuścić
rozpuszczę, rozpuścisz, rozpuść!, rozpuścił, rozpuścili

rozsądek
brak **rozsądku**, kierował się **rozsądkiem**

Jak nakazuje rozsądek,
bardzo dbał o swój żołądek.

rozsądny człowiek, **rozsądne** decyzje, **rozsądniejszy** wybór

rozszerzyć
rozszerzę, rozszerzysz, rozszerz!, rozszerzył, rozszerzyli

roztopić
roztopię, roztopisz, roztop!, roztopił, roztopili

rozum
brak **rozumu**, pozjadał wszystkie **rozumy** (o człowieku przemądrzałym)

rozumieć
rozumiem, rozumiesz, rozumiej!, rozumiał, rozumieli

rozwiązanie
kłopot z **rozwiązaniem**, dwa **rozwiązania**, objaśnienie **rozwiązań**, w architektonicznych **rozwiązaniach**

rozwój
nie widać **rozwoju**, przed **rozwojem**

rozwrzeszczany dzieciak, **rozwrzeszczani** młodzi ludzie

rozwścieczyć
rozwścieczę, rozwścieczysz, rozwściecz!, rozwścieczył, rozwścieczyli

rozżarzyć
rozżarzę, rozżarzysz, rozżarz!, rozżarzył, rozżarzyli

rożen
kurczak z **rożna**, piekli kiełbaski na **rożnie**, dwa **rożny**, kilka **rożnów**

ród
założyciel **rodu**, najstarszy w **rodzie**, **rody** królewskie, tradycja **rodów**

róg
stał tuż za **rogiem**, grał na **rogu**, chwycił byka za **rogi**, kolekcja **rogów**

rój
bali się **roju** komarów, walka z **rojem**, **roje** pszczół, brzęczenie **rojów**

rów
dno **rowu**, spał w **rowie**, **rowy** nadbrzeżne, kopanie **rowów**

równieśnik
wiek **rówieśnika**, Staś jest moim **rówieśnikiem**, **rówieśnicy** rodziców, razem z **rówieśnikami**

również i Ty możesz zostać bohaterem

równina
pas **równiny**, latawiec unosił się nad **równiną**, mieszkali na **równinie**, wiele **równin**, na mazowieckich **równinach**

równo zjechał na dół, **równiej** rysował okręgi

równoboczny trójkąt

równocześnie zajmował się wieloma sprawami

równolegle zaprojektowane ulice

równoległy odcinek, proste **równoległe**

równoleżnik
znaczenie **równoleżnika**, pod **równoleżnikiem**, dwa **równoleżniki**, nazwy **równoleżników**

równoważnia
ćwiczenia na **równoważni**

rózga
dostał **rózgą**, sęki na **rózdze**, **rózgi** zbierał, pęk **rózg** lub **rózeg**

róż (kolor)
odcień **różu**, **róże** na ścianach, nie lubi **różów**

róża (kwiat)
kwiat **róży**, czerwone **róże**, pęk **róż**, schował się w **różach**

Różowa róża kolce ma,
którymi dookoła dźga.

różaniec
paciorki **różańca**, odmawiali cichutko **różańce**, kilka **różańców**

różdżka
czarodziej z **różdżką**, bajka o **różdżce**, **różdżki** czarodziejskie, kolekcja **różdżek**

różnica
nie sprawia mi to **różnicy**, **różnice** charakterów, nie ma żadnych **różnic**, zapomnij o **różnicach**

różny kształt, **różni** ludzie, **najróżniejsze** towary

różowy goździk, **różowe** okulary, są **różowi** od mrozu

RP (czytaj: **er-pe**) – **Rzeczpospolita Polska**

ruch
stał bez **ruchu**, zbił pionka jednym **ruchem**, niespokojne **ruchy**, wykonał kilka **ruchów**

ruchliwy płomień, **ruchliwi** jak dzieci, **ruchliwsze** skrzyżowanie

ruchomy cel, **ruchome** piaski, na **ruchomych** schodach

ruina
budynek był **ruiną**, miasto w **ruinie**, zwiedzanie **ruin** zamku, stanął na **ruinach**

rujnować
rujnuję, rujnujesz, rujnuj!, rujnował, rujnowali

rumak
maść **rumaka**, przybył na **rumaku**, **rumaki** na łące, hodowla **rumaków**

rumianek
kwiat **rumianku**, miodek z **rumiankiem**, **rumianki** na wianki, okład z **rumianków**

rumienić się
rumienię się, rumienisz się, rumień się!, rumienił się, rumienili się

rumieniec
czerwień **rumieńca**, okrył się **rumieńcem** wstydu, **rumieńce** na twarzy, buzia w **rumieńcach**

runo
zdobycie **runa**, otulić się **runem**, spał na owczym **runie**, czyszczenie **run**

rura
przycięcie **rury**, dziura w **rurze**, wymiana **rur**, pod **rurami**

rusałka
baśń o **rusałce**, zwiewne **rusałki**, powłóczyste suknie **rusałek**, zabawy z **rusałkami**

ruszać
ruszam, ruszasz, ruszaj! ruszał, ruszali

ryba
z wędzoną **rybą**, wędkarz marzył o **rybie**, **ryby** słodkowodne, gatunki **ryb**

rybka
zaufaj złotej **rybce**, welonka jest **rybką**, **rybki** akwariowe, ławica **rybek**

Płynie ryba grubą rurą
i rozgląda się za dziurą!

rybołówstwo morskie
rycerski turniej, **rycerscy** mężczyźni
rycerz
pasowanie na **rycerza**, Roland był **rycerzem**, **Rycerze** Okrągłego Stołu, król Artur miał dzielnych **rycerzy**
rydz
kapelusz **rydza**, kurka z **rydzem**, **rydze** na polance, sos z **rydzów**
rysunek
autor **rysunku**, podpis pod **rysunkiem**, **rysunki** dzieci, kolorystyka **rysunków**
ryż
uprawa **ryżu**, potrawa z **ryżem**

rzadki przypadek, **rzadcy** goście
rzadko się uśmiechał
rząd (szereg)
na początku **rzędu**, usiadł w moim **rzędzie**, **rzędy** krzeseł, kilka **rzędów**
rząd (władza)
siedziba **rządu**, rozmowy z **rządem**, **rządy** demokratyczne, obalenie **rządów**
rządzić
rządzę, rządzisz, rządź!, rządził, rządzili
rzec
rzeknę, rzekniesz, rzeknij!, rzekł, rzekli

Rzekła miska do talerza:
„Garnek już mi się nie zwierza".

rzecz
jest **rzeczą** ważną, **rzeczy** osobiste, nie zapomnij o swoich **rzeczach**
rzeczownik
odmiana **rzeczownika**, wyraz przed **rzeczownikiem**, **rzeczowniki** odmieniamy przez przypadki, **rzeczowników** jest wiele w zdaniu

Rzeczpospolita Polska (skrót **RP)**
ustrój **Rzeczpospolitej Polskiej** lub **Rzeczypospolitej Polskiej**, zawarcie paktu z **Rzecząpospolitą Polską** lub **Rzecząpospolitą Polską**

Wielką literą piszemy **nazwy państw**.

rzeczywiście wiosna jest najpiękniejszą porą roku

rzeka
koryto **rzeki**, sforsował **rzekę**, pływał po **rzece**, dopływy **rzek**, barki na **rzekach**

rzemieślnik
wyroby **rzemieślnika**, był dobrym **rzemieślnikiem**, krakowscy **rzemieślnicy**, cech **rzemieślników**

rzemiosło
nauka **rzemiosła**, parał się **rzemiosłem**, wystawa **rzemiosł** artystycznych

rzeźba
wystawa **rzeźby**, wykonać **rzeźbę**, wiele **rzeźb**, mówił o swoich **rzeźbach**

rzeźbiarz
dzieło **rzeźbiarza**, spotkanie z **rzeźbiarzem**, **rzeźbiarze** w galerii, wystawa **rzeźbiarzy**

Przyszedł rzeźnik do rzeźbiarza,
a tu rzeźbiarz go obraża.

rzeźnik
fartuch **rzeźnika, rzeźnicy** wyrabiają kiełbaski, specjalność **rzeźników**

rzeżucha
listek **rzeżuchy**, siejemy **rzeżuchę**, kanapka z **rzeżuchą**, pojemnik po **rzeżusze**

rzęsa
łza na **rzęsie**, długie **rzęsy**, trzepot **rzęs**, przysłoniła oczy **rzęsami**; staw pokryty **rzęsą**

rzodkiewka
pęczek **rzodkiewki**, schrupał **rzodkiewkę**, robaczek w **rzodkiewce**, grządki **rzodkiewek**

rzucać

rzucam, rzucasz, rzucaj!, rzucał, rzucali

rzut

siła **rzutu**, wygrał w jednym **rzucie**, **rzuty** kulą, wykonał kilka **rzutów**

Rzym

zwiedzanie **Rzymu**, opowieść o **Rzymie**, piękna **rzymianka**, odwaga **rzymian**, pieczeń **rzymska**, **rzymscy** papieże

rżeć

rżę, rżysz, rżyj!, rżał, rżeli

S

sad
teren **sadu**, dom z **sadem**, jabłonie w **sadzie**, hektary **sadów**

sadzawka
ogród z **sadzawką**, kaczuszki na **sadzawce**, **sadzawki** w parkach, projekty **sadzawek**

sadzonka
wrócił z **sadzonką**, **sadzonki** pomidorów, przesadzanie **sadzonek**, skrzynka z **sadzonkami**

sakiewka
zawartość **sakiewki**, złoto w **sakiewce**, miał kilka **sakiewek**, żonglował **sakiewkami**

sam na sam z sobą

samochód
kupno **samochodu**, pasażerowie w **samochodzie**, **samochody** na autostradzie, sznur **samochodów**

samodzielność
uczymy się **samodzielności**, bronił się przed **samodzielnością**

samoobsługowy sklep

samorząd
przewodniczący **samorządu**, zasiadali w **samorządzie**, **samorządy** szkolne, praca **samorządów**

Przewodniczący samorządu
miał samochód i sad,
pierwszego nie używał,
z drugiego był wielce rad.

sanatorium
kuracjusze w **sanatorium**, **sanatoria** w Zakopanem, powrócili z **sanatoriów**, zabiegi w **sanatoriach**

sanie
wsiadajcie do **sań** lub **sani**, jedźmy **sańmi** lub **saniami**

sanki
nie mam **sanek**, ciągnął **sanki** pod górę, jazda na **sankach**

sauna
basen z **sauną**, siedzieli w **saunie**, **sauny** fińskie, temperatura w **saunach**

Ciągnął sanki z zapałem pod górę,
aż potargał sobie fryzurę.

sąd
budynek **sądu**, adwokat w **sądzie**, **sądy** wojewódzkie, wyroki **sądów**

sądzić
sądzę, sądzisz, sądź!, sądził, sądzili

sąsiad
nazwisko **sąsiada**, drogi **sąsiedzie**, nasi **sąsiedzi**, dom **sąsiadów**

sąsiadka
balkon **sąsiadki**, spotkanie z **sąsiadką**, ploteczki **sąsiadek**, pomagała **sąsiadkom**

scenariusz
autor **scenariusza**, dialogi w **scenariuszu**, filmy według **scenariuszy** lub **scenariuszów**

schemat
według **schematu**, mieszczą się w **schemacie**, **schematy** kryminałów, uczył się na **schematach**

schludny pokój, **schludniejszy** wygląd

Ch piszemy po spółgłosce **s**.

schnąć
schnę, schniesz, schnij!, schnął lub sechł, schli

schodek
zszedł ze **schodka**, klucz pod **schodkiem**, **schodki** do piwnicy, skakał ze **schodków**

schody
budowa **schodów**, spiżarnia pod **schodami**, siedział na **schodach**

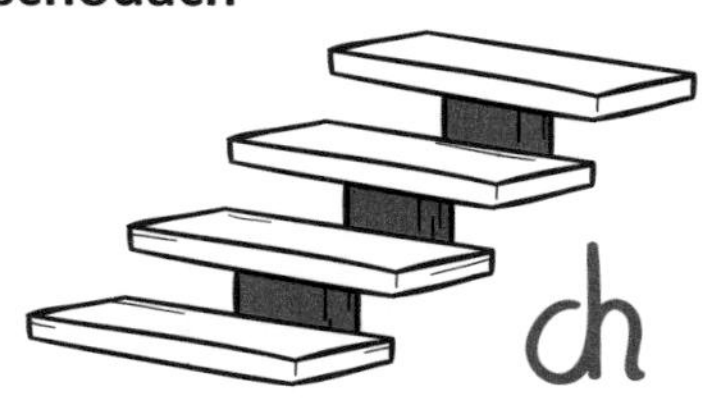

schodzić
schodzę, schodzisz, schodź!, schodził, schodzili

schować
schowam, schowasz, schowaj!, schował, schowali

schowek
klucz od **schowka**, kryjówka pod **schowkiem**, **schowki** w banku, szyfry **schowków**

schron
budowa **schronu**, siedzieli w **schronie**, **schrony** przeciwlotnicze, wszyscy schodzą do **schronów**

schronić się
schronię się, schronisz się, schroń się!, schronił się, schronili się

schronisko
otwarcie **schroniska**, nocleg w **schronisku**, **schroniska** górskie, poszukiwanie **schronisk**

Ch piszemy po spółgłosce **s**.

schwycić
schwycę, schwycisz, schwyć!, schwycił, schwycili

schwytać
schwytam, schwytasz, schwytaj!, schwytał, schwytali

schylać się
schylam się, schylasz się, schylaj się!, schylał się, schylali się

schylić
schylę, schylisz, schyl!, schylił, schylili

scyzoryk
ostrze **scyzoryka**, posłużył się **scyzorykiem**, małe **scyzoryki**, wybór **scyzoryków**

sekunda
sekundy zabrakło, w jednej **sekundzie**, w ciągu kilku **sekund**, po kilku **sekundach**

sensacja
wielbiciele **sensacji**, występ był **sensacją**

ser
kawał **sera**, dziura w **serze**, **sery** pleśniowe, nóż do **serów**

serce
bicie **serca**, miły memu **sercu**, kłopoty z **sercem**, dar **serc**

serduszko
osłuchiwanie **serduszka**, łańcuszek z **serduszkiem**, bicie **serduszek**, lukier na **serduszkach**

U piszemy w wyrazach zakończonych na: **-uch**, **-unio**, **-unia**, **-usia**, **-us**, **-uszek**, **-uś**, **-utki**

seria
początek **serii**, rozpoczął **serię** leków, **serie** pocztówek, znaczki w **seriach**

sezam
ziarna **sezamu**, bułka z **sezamem**; **Sezamie**, otwórz się!

sędzia
toga **sędziego** lub **sędzi**, opowiedz **sędziemu** lub **sędzi**, znam tego **sędziego** lub **sędzię**, myślał o **sędzi** lub **sędzim**, **sędziowie** pokoju, decyzje **sędziów**

sęp
lot **sępa**, **sępy** na padlinie, stado **sępów**

Sędziwy sęp na słomie siedział
i nic nikomu nie powiedział.

sformułować
sformułuję, sformułujesz, sformułuj!, sformułował, sformułowali

sfrunąć
sfrunę, sfruniesz, sfruń!, sfrunął, sfrunęli

siać
sieję, siejesz, siej!, siał, siali

siadać
siadam, siadasz, siadaj!, siadał, siadali

siatkówka
turniej **siatkówki**, gramy w **siatkówkę**, rozgrzewka przed **siatkówką**, zasady w **siatkówce**

siąść
siądę, siądziesz, siądź!, siadł, siedli

siedem dni, **siedmiu** wspaniałych, za **siedmioma** lub za **siedmiu** górami

Za siedmioma górami,
za siedmioma rzekami
żyli smok i smoczyca
z małymi smoczętami.

siedemdziesiąt lat, **siedemdziesięciu** żołnierzy, z **siedemdziesięcioma** lub z **siedemdziesięciu** harcerzami

siedemnastka
i już po **siedemnastce**, para **siedemnastek**

siedemnaście kilogramów, **siedemnastu** chłopców, z **siedemnastoma** lub z **siedemnastu** uczestnikami rajdu

siedemnaścioro kociąt, brak **siedemnaściorga** kacząt, z **siedemnaściorgiem** dzieci

siedemset skrzatów, **siedmiuset** żołnierzy

sierpień
koniec **sierpnia**, w słonecznym **sierpniu**, **sierpnie** tego wieku, nie lubię **sierpni** lub **sierpniów**

sierść
kolor **sierści**, skóra pod **sierścią**

sięgać
sięgam, sięgasz, sięgaj!, sięgał, sięgali

sięgnąć
sięgnę, sięgniesz, sięgnij!, sięgnął, sięgnęli

sikora lub **sikorka**
przyglądał się **sikorze** lub **sikorce**, karmienie **sikor** lub **sikorek**, wrona ukradła słoninę **sikorom** lub **sikorkom**

siostra
daj mojej **siostrze**, „Trzy **siostry**" Czechowa, pozdrowienia dla **sióstr**, mówił o **siostrach**

siostrzyczka
daję prezent mojej **siostrzyczce**, braciszek z **siostrzyczką**, zdjęcia **siostrzyczek**

siódemka
bar Pod **Siódemką**, liczba po **siódemce**, **siódemki** wygrywają, rząd **siódemek**

skafander
kolor **skafandra**, człowiek w **skafandrze**, **skafandry** kosmonautów, zatrzaski w **skafandrach**

skakać
skaczę, skaczesz, skacz!, skakał, skakali

skaleczyć (się)
skaleczę, skaleczysz, skalecz!, skaleczył, skaleczyli

skarżyć
skarżę, skarżysz, skarż!, skarżył, skarżyli

skarżypyta
powiedz **skarżypycie**, nie bądź **skarżypytą**, **skarżypyty** skarżą, nie rozmawiam ze **skarżypytami**

skąd przychodzisz?, **skąd** masz te rzeczy?

skądże znowu!

skleić
skleję, skleisz, sklej!, skleił, skleili

sklejać
sklejam, sklejasz, sklejaj!, sklejał, sklejali

sklepikarz
imię **sklepikarza**, kłótnia ze **sklepikarzem**, związek **sklepikarzy** lub **sklepikarzów**, głośno było o **sklepikarzach**

skojarzenie
myślał o **skojarzeniu** muzyki z obrazami, ciąg **skojarzeń**

skojarzyć
skojarzę, skojarzysz, skojarz!, skojarzył, skojarzyli

skończyć
skończę, skończysz, skończ!, skończył, skończyli

skóra
kolor **skóry**, plamka na **skórze**, **skóry** niedźwiedzie, garbowanie **skór**

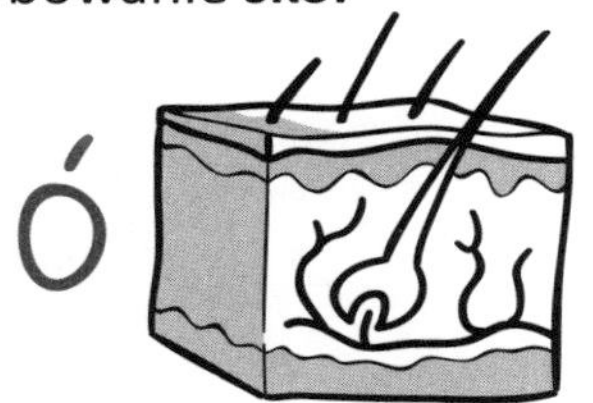

skórka
miąższ pod **skórką**, skaza na **skórce**, **skórki** pomarańczowe, smażenie **skórek**

skórzany portfel, **skórzane** fotele

skracać
skracam, skracasz, skracaj!, skracał, skracali

skręcić
skręcę, skręcisz, skręć!, skręcił, skręcili

skrót
nie znał **skrótu**, szedł **skrótem**, w **skrócie**, **skróty** nazw, dokonał **skrótów** w tekście

skrzat
widziałem **skrzata**, bajka o **skrzacie**, **skrzaty** pod podłogą, czapki **skrzatów**

Widziałeś skrzydlatego skrzata,
który do dużej skrzyni lata?

skrzydełko
siedział pod **skrzydełkiem**, dwa **skrzydełka**, para **skrzydełek**, marzył o **skrzydełkach**

skrzynia
wieko **skrzyni**, **skrzynie** drewniane, tajemnice **skrzyń**, skarby w **skrzyniach**

skrzypce
wirtuoz **skrzypiec**, poświęcił się **skrzypcom**, futerał ze **skrzypcami**, grał na **skrzypcach**

skrzypek
gra **skrzypka**, wywiad ze **skrzypkiem**, **skrzypkowie** z orkiestry, instrumenty **skrzypków**

skrzypieć
skrzypię, skrzypisz, skrzyp!, skrzypiał, skrzypieli

skrzywdzić
skrzywdzę, skrzywdzisz, skrzywdź!, skrzywdził, skrzywdzili

skrzywić
skrzywię, skrzywisz, skrzyw!, skrzywił, skrzywili

skrzyżowanie
na **skrzyżowaniu**, **skrzyżowania** ulic, budowa **skrzyżowań**

skuć
skuję, skujesz, skuj!, skuł, skuli

skulić się
skulę się, skulisz się, skul się!, skulił się, skulili się

skutek
dzwonił bez **skutku**, na **skutek** wypadku, **skutkiem** tego usunięto go ze szkoły, oczekiwali **skutków**

skuwka
pióro ze **skuwką**, atrament na **skuwce**, **skuwki** wiecznych piór, mam w szufladzie kilka **skuwek**

skwar
początek **skwaru**, szli w **skwarze**, **skwary** tropików, koniec **skwarów**

skwer
drzewo było ozdobą **skweru**, dzieci na **skwerze**, **skwery** w mieście, klomby na **skwerach**

słodki biszkopt, **słodcy** chłopcy, **słodszy** buziak

słoik
zakrętka **słoika**, etykieta na **słoiku**, **słoiki** z powidłami, zawartość **słoików**

słoniątko
mama **słoniątka**, ogromne uszy **słoniątek**

słoń

trąba **słonia**, słonica ze **słoniem**, **słonie** afrykańskie, reportaż o **słoniach**

Słowacja

krajobrazy **Słowacji**, przyjechali na **Słowację**, miła **Słowaczka**, życzliwy **Słowak**, **słowacki** język, **słowackie** tańce

słój

zakrętka **słoja**, cukierki w **słoju**, **słoje** ze spiżarni, kilka **słojów** lub **słoi**

Słodka zawartość słoika
pasuje trąbie słonika.

słówko

nie odezwał się **słówkiem**, szeptane **słówka**, nauka angielskich **słówek**, nie wierzę słodkim **słówkom**

słuch

grał ze **słuchu**, miał kłopoty ze **słuchem**

Tak bardzo burczało mu
w brzuchu,
że nie mógł już zagrać
ze słuchu.

słuchy (pogłoski; uszy zająca)

chodzą **słuchy**; przyglądam się **słuchom** zająca

słuchać

słucham, słuchasz, słuchaj!, słuchał, słuchali

słup

grubość **słupa**, informacja na **słupie**, **słupy** ogłoszeniowe, wkopywanie **słupów**

służba

zawołał **służbę**, był na **służbie**, **służby** porządkowe, pracownik **służb** specjalnych

służyć

służę, służysz, służ!, służył, służyli

słyszeć

słyszę, słyszysz, słysz!, słyszał, słyszeli

smażalnia

właściciel **smażalni**, **smażalnie** ryb, jadłospisy w **smażalniach**

smażyć

smażę, smażysz, smaż!, smażył, smażyli

smucić się

smucę się, smucisz się, smuć się!, smucił się, smucili się

smuga
poznał po **smudze**, **smugi** dymu, widok **smug** w oddali, horyzont w **smugach**

smutek
powód **smutku**, z wielkim **smutkiem**, **smutki** dziel z przyjacielem, ciężar **smutków**

smużka
ze **smużką**, ślad po **smużce**, **smużki** dymu, rysunek **smużek**, na **smużkach** chmurek

sobota
dzień przed **sobotą**, marzył o **sobocie**, wolne **soboty**, liczba **sobót** w miesiącu

sobowtór
mam **sobowtóra**, zatrzymaj się, mój **sobowtórze**, **sobowtóry** znanych osobistości, fryzury **sobowtórów**

sokowirówka
jarzyny w **sokowirówce**, duże **sokowirówki**, wybór **sokowirówek**, brzoskwinie w **sokowirówkach**

sokół
lot **sokoła**, polowanie z **sokołem**, **sokoły** wędrowne, gatunki **sokołów**

solić
solę, solisz, sól!, solił, solili

Sopot
zwiedzanie **Sopotu**, deptak w **Sopocie**, ładna **sopocianka**, znajomy **sopocianin**, **sopocki** festiwal, **sopockie** plaże

Na sopockim festiwalu piosenki
wystąpił sokół,
choć głosik miał cienki.

sójka
wyprawa **sójki** za morze, wiersz o **sójce**, pióra **sójek**

sól
nadmiar **soli**, pojemniczek z **solą**, **sole** trzeźwiące, kąpiele w **solach**

sówka
sowa z **sówką**, przypatrz się **sówce**, **sówki** białe, grupka **sówek**

spacer
trasa **spaceru**, spotkaliśmy się na **spacerze**, jesienne **spacery**, wracali głodni ze **spacerów**

spać
śpię, śpisz, śpij!, spał, spali

Na płaskowyżu
stał pomnik ze spiżu.

spadać
spadam, spadasz, spadaj! spadał, spadali

spadochron
otwarcie **spadochronu**, wyskoczył ze **spadochronem**, **spadochrony** rozwinęły się, czasze **spadochronów**

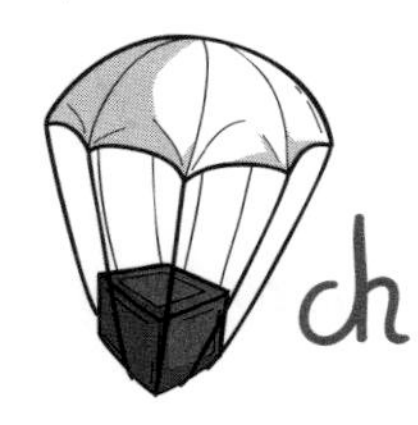

spadochroniarz
skok **spadochroniarza**, **spadochroniarze** skaczą w parze, klub **spadochroniarzy**, trening ze **spadochroniarzami**

spalić
spalę, spalisz, spal!, spalił, spalili

spaść
spadnę, spadniesz, spadnij!, spadł, spadli

spełnić
spełnię, spełnisz, spełnij! lub spełń!, spełnił, spełnili

spędzić
spędzę, spędzisz, spędź!, spędził, spędzili

spichlerz
budowa **spichlerza**, zboże w **spichlerzu**, dwa **spichlerze**, właściciel **spichlerzy** lub **spichlerzów**

spieszyć się
spieszę się, spieszysz się, spiesz się!, spieszył się, spieszyli się

spiż
brama ze **spiżu**

spiżarnia
przed **spiżarnią**, zapasy w **spiżarni**, pełne **spiżarnie**, dżemy w **spiżarniach**

spleść
splotę, spleciesz, spleć!, splótł, spletli

spleśnieć może ser, nie spleśnieje czosnek, spleśniał w spiżarni chleb

spoglądać
spoglądam, spoglądasz, spoglądaj!, spoglądał, spoglądali

spojrzeć
spojrzę, spojrzysz, spójrz! lub spojrzyj!, spojrzał, spojrzeli

spojrzenie
błagalne **spojrzenie**, badawcze **spojrzenia**, czar jej **spojrzeń**

spokój
mówił ze **spokojem**, zostaw go w **spokoju**

sporządzić
sporządzę, sporządzisz, sporządź!, sporządził, sporządzili

sposób
brak **sposobu**, poznał po **sposobie** chodzenia, **sposoby** mówienia, użyli wielu **sposobów**

Użyli różnych sposobów,
aby nie przegrać zawodów.

spostrzec
spostrzegę, spostrzeżesz, spostrzeż!, spostrzegł, spostrzegli

spostrzegać
spostrzegam, spostrzegasz, spostrzegaj!, spostrzegał, spostrzegali

spośród łąk i pól

spotkać
spotkam, spotkasz, spotkaj!, spotkał, spotkali

spotykać
spotykam, spotykasz, spotykaj!, spotykał, spotykali

spowiedź
sakrament **spowiedzi**, przed **spowiedzią**, informacje o **spowiedziach**

spożywczy sklep, artykuły **spożywcze**

spód
spalony od **spodu**, leżał na **spodzie**, **spody** ciast, kilka **spodów**

spódnica
fason **spódnicy**, **spódnice** z dzianiny, krój **spódnic**, panny w **spódnicach**

spójnik
brak **spójnika**, wypowiedź ze **spójnikiem**, **spójniki** w zdaniu, liczba **spójników**

spółgłoska
litera po **spółgłosce**, **spółgłoski** dźwięczne, wymowa **spółgłosek**, lekcja o **spółgłoskach**

spółka
założyciel **spółki**, zaufał **spółce**, notowania **spółek**, informacje o **spółkach**

spór
wynik **sporu**, już po **sporze**, **spory** sąsiedzkie, rozstrzygnięcie **sporów**

spóźniać się
spóźniam się, spóźniasz się, spóźniaj się!, spóźniał się, spóźniali się

Spóźniał się zwykle o godzinę,
a potem robił głupią minę.

spóźnić się
spóźnię się, spóźnisz się, spóźnij się!, spóźnił się, spóźnili się

spóźnienie
zamierzone **spóźnienie**, liczba **spóźnień**

sprać
spiorę, spierzesz, spierz!, sprał, sprali

sprężyna
zegar ze **sprężyną**, skakał na **sprężynie**, **sprężyny** w łóżku, materac ze **sprężynami**

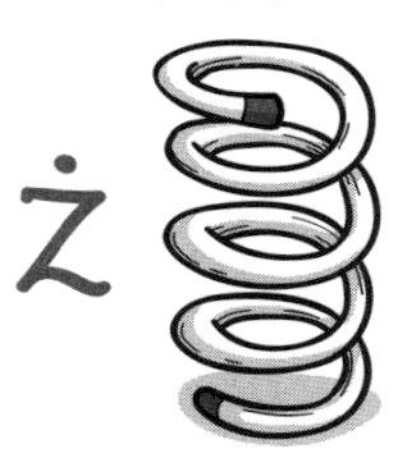

sprężysty chód, **sprężyści** i czyści, coraz **sprężystszy**

spróbować
spróbuję, spróbujesz, spróbuj!, spróbował, spróbowali

spruć
spruję, sprujesz, spruj!, spruł, spruli

spryciarz
wykręt **spryciarza**, dwaj **spryciarze**, intrygi **spryciarzy** lub **spryciarzów**

sprzączka
urwał **sprzączkę**, napis na **sprzączce**, **sprzączki** paska, wyrób **sprzączek**

sprzątaczka
powiedz **sprzątaczce**, **sprzątaczki** w naszej szkole, praca **sprzątaczek**, reportaż o **sprzątaczkach**

sprzątać
sprzątam, sprzątasz, sprzątaj!, sprzątał, sprzątali
sprzątnąć
sprzątnę, sprzątniesz, sprzątnij!, sprzątnął, sprzątnęli
sprzed sklepu zniknął pies
sprzedać
sprzedam, sprzedasz, sprzedaj!, sprzedał, sprzedali
sprzedawać
sprzedaję, sprzedajesz, sprzedawaj!, sprzedawał, sprzedawali
sprzedawca
prosił **sprzedawcę**, rozmowa ze **sprzedawcą**, panowie **sprzedawcy**, kilku **sprzedawców**

Sprzedawca ze spożywczego sklepu rozdawał wszystkim setki uśmiechów.

sprzedaż
punkt **sprzedaży**, trudnił się **sprzedażą**, uliczne **sprzedaże**
sprzęt
naprawa **sprzętu**, sklep ze **sprzętem** wędkarskim, **sprzęty** domowe, dużo **sprzętów**; pływał na **sprzęcie**
sprzysiężenie tajnego bractwa
spuchnąć
spuchnę, spuchniesz, spuchnij!, spuchnął lub spuchł, spuchli
srebrnoszary gołąb
srebro
blask **srebra**, rysa na **srebrze**, kilka **sreber** stołowych
srogi
srodzy wychowawcy, **sroższa** kara
ssać
ssę, ssiesz, ssij!, ssał, ssali
ssak
charakterystyka **ssaka**, słoń jest **ssakiem**, **ssaki** są owłosione, gatunki **ssaków**
stacja
zawiadowca **stacji**, pociąg wjechał na **stację**, **stacje** meteorologiczne, perony na **stacjach**
stać
stoję, stoisz, stój!, stał, stali
stadion
zszedł ze **stadionu**, trybuny na **stadionie**, **stadiony** sportowe, budowa **stadionów**
stamtąd przybyli wędrowcy

stanąć
stanę, staniesz, stań!, stanął, stanęli
starówka
spacer po **starówce**, urok **starówek**
staruszek
laska **staruszka**, krzepcy **staruszkowie**, kompania wesołych **staruszków**

Dookoła poduszek
chodził koci staruszek.

staruszka
torebka **staruszki**, pomoc **staruszce**, miłe **staruszki**, grono **staruszek**
starzec
laska **starca**, spacer ze **starcem**, dostojni **starcy**, rada **starców**
stąd dotąd, nie odejdziesz **stąd**
stempel
wielkość **stempla**, data na **stemplu**, **stemple** pocztowe, odbitki **stempli**

ster
obsługa **steru**, człowiek przy **sterze**, **stery** statków, blokada **sterów**
stłuc
stłukę, stłuczesz, stłucz!, stłukł, stłukli
sto
masz **sto** pomysłów!, brak **stu** koralików, został ze **stoma** lub **stu** złotymi
stolarz
narzędzia **stolarza**, Józef był **stolarzem**, **stolarze** podczas pracy, miał dobre zdanie o **stolarzach**
stołówka
kolejka przed **stołówką**, obiady w **stołówce**, szkolne **stołówki**, jeść w **stołówkach**
stowarzyszenie
należał do **stowarzyszenia**, założyciele **stowarzyszeń**
stożek
kształt **stożka**, chciał usiąść na **stożku**, **stożki** wzrostu, podstawy **stożków**
stóg
leżał pod **stogiem**, ukrył się w **stogu**, **stogi** siana, rząd **stogów** na polu

stół

nakrycie **stołu**, pies leżał pod **stołem**, kompot na **stole**, **stoły** drewniane, blaty **stołów**

strach

odczuwanie **strachu**, napędził mu **strachu** lub **stracha**, **strachy** na wróble, bez lęków i **strachów**

straż

członek **straży**, więzień pod **strażą**, królewskie **straże**, polegał na swoich **strażach**

strażak

kask **strażaka**, ojciec był **strażakiem**, **strażacy** podczas pożaru, widział **strażaków** w akcji

strażnik

funkcja **strażnika**, będę twoim **strażnikiem**, **strażnicy** bankowi, mundury **strażników**

strój

wybór **stroju**, kłopot ze **strojem**, **stroje** kąpielowe, wybieranie **strojów**

stróż

obowiązki **stróża**, był nocnym **stróżem**, **stróże** porządku, latarki **stróżów**

Cóż za cudowni
to byli stróże,
dbali o kwiaty,
zwłaszcza o róże.

struga

w **strudze** wody, **strugi** cieczy, **strugami** lał się pot, stał w **strugach** deszczu; w **strugę** światła, dym snujący się **strugą**

strugać

strugam, strugasz, strugaj!, strugał, strugali

strumień

brzeg **strumienia**, kąpiel w **strumieniu**, **strumienie** górskie, w **strumieniach** łez

struna

naciągnięcie **struny**, uderzył w **strunę**, grał na jednej **strunie**, sprężystość **strun**

struś

pióro **strusia**, przygoda ze **strusiem**, dwa **strusie**, bieg **strusi** lub **strusiów**

strużka

ślad po **strużce**, wąskie **strużki** wody, kilka **strużek**

strych

nad **strychem**, ukrył się na **strychu**, **strychy** domów, remonty **strychów**

strzał

siła **strzału**, huk po **strzale**, **strzały** w dziesiątkę, wymiana **strzałów**

strzała

rana po **strzale**, indiańskie **strzały**, groty **strzał**, nacięcia na **strzałach**

strzałka

kierunek oznaczony **strzałką**, ślad po **strzałce**, **strzałki** na murze

strząsnąć

strząsnę, strząśniesz, strząśnij! strząsnął, strząsnęli

strzec

strzegę, strzeżesz, strzeż!, strzegł, strzegli

strzecha

dach ze **strzechy**, dom kryty **strzechą**, ptak na **strzesze**, ile widzisz **strzech**?

Rozczochrany bocian
siedział na strzesze,
jutro na pewno
ładnie się uczesze.

strzelać

strzelam, strzelasz, strzelaj!, strzelał, strzelali

strzelba

lufa **strzelby**, nabój w **strzelbie**, kilka **strzelb**, proch w **strzelbach**

strzelec

oko **strzelca**, był doskonałym **strzelcem**, **strzelcy** wyborowi, stanowiska **strzelców**

strzelić

strzelę, strzelisz, strzel!, strzelił, strzelili

strzęp
bez **strzępu**, mówił o **strzępie** materiału, **strzępy** spodni, cały w **strzępach**

strzyc
strzygę, strzyżesz, strzyż!, strzygł, strzygli

strzyga (upiór, widmo)
bał się **strzygi**, opowiadał o **strzydze**, historie o **strzygach** w podaniach ludowych

Siedziała strzyga w studni,
by jej głos bardziej dudnił.

strzykawka
igła **strzykawki**, płyn w **strzykawce**, kilka **strzykawek**, szczepionki w **strzykawkach**

studio
radiowe **studio**, praca w **studiu** lub w **studio**, wyposażenie **studiów**

studnia
dno **studni**, kopał **studnię**, cembrowane **studnie**, źródlana woda w **studniach**

stulecie urodzin

stuletni dąb, życzenia dla **stuletnich** staruszków

stumetrowy odcinek

stworzenie
młodemu **stworzeniu**, liczba **stworzeń**

stworzyć
stworzę, stworzysz, stwórz!, stworzył, stworzyli

stwór
nie ma **stworu** lub **stwora**, opowieść o **stworze**, kosmiczne **stwory**, bał się **stworów**

styczeń
szósty lub szóstego **stycznia**, mam urodziny w **styczniu**, **stycznie** są zazwyczaj mroźne

sucharek
pogryzał **sucharka**, śniadanko z **sucharkiem**, **sucharki** dietetyczne, paczka **sucharków**

suchy ręcznik, za chwilę będą **susi**, coraz **suchszy**

sufit
żyrandol u **sufitu**, plama na **suficie**, białe **sufity**, malowanie **sufitów**

sukces
miara **sukcesu**, wieść o **sukcesie**, **sukcesy** drużyny, życzę **sukcesów**

Podczas suszy sukces mały,
bo się plony nie udały.

sukienka
kolor **sukienki**, wzór na **sukience**, fasony **sukienek**, dziewczęta w **sukienkach**

sumienie
wyrzuty **sumienia**, we własnym **sumieniu**, rozmowa z **sumieniem**, głosy **sumień**

supeł
wiązanie **supła**, poznał po **suple** na chusteczce, **supły** na sznurowadłach, liczba **supłów**, lina w **supłach**

supermarket
zakupy w **supermarkecie**, kilka **supermarketów**

supernowoczesny sprzęt, **supernowoczesne** urządzenie

surowy ziemniak; **surowy** ojciec, **surowi** rodzice, **surowszy** sędzia

surówka
warzywa w **surówce**, **surówki** do obiadu, rodzaje **surówek**, przyprawy w **surówkach**

susza
pora **suszy**, przed **suszą**

suszyć
suszę, suszysz, susz!, suszył, suszyli

sweter
kolor **swetra**, chodzę w **swetrze**, **swetry** w skandynawskie wzorki, prucie **swetrów**

swój
swojego (lub **swego**) konia, **swojej** (**swej**) lalce, **swoi** ludzie, **swoje** (**swe**) upodobania, znam **swoich** (**swych**) kolegów

sypać
sypię, sypiesz, syp!, sypał, sypali

sypnąć
sypnę, sypniesz, sypnij!, sypnął, sypnęli

sytuacja
wyjście z **sytuacji**, stworzyć **sytuację**, **sytuacje** nieprzewidziane, w **sytuacjach** awaryjnych

szabla
błysk **szabli**, zranił go **szablą**, **szable** w dłoń i hajda na koń!, ostrza **szabli** lub **szabel**

szachista
zadanie dla **szachisty**, wręczył **szachiście** puchar, **szachiści** amatorzy, zawody **szachistów**

szacunek
wyrazy **szacunku**, budził **szacunek**, darzyli go **szacunkiem**

Szanowny Panie, **Szanowna** Pani, **Szanowni** Państwo

szantaż
ofiara **szantażu**, zdumiony **szantażem**, wiele politycznych **szantaży** lub **szantażów**

szarobiały szal małego szaraka otula

szatniarz
funkcja **szatniarza**, rozmowa z **szatniarzem**, **szatniarze** w bibliotece, piosenka o **szatniarzach**

Szatniarz był szantażowany
i w szczegółach przesłuchany.

szczególny dzień, **szczególni** ludzie, **szczególniejsze** okoliczności

szczegół
wartość **szczegółu**, i w ogóle, i w **szczególe**, istotne **szczegóły**, nie pamiętał **szczegółów**

szczenię
matka **szczenięcia**, Reks był **szczenięciem**, **szczenięta** wilka, karmienie pięciorga **szczeniąt**

szczerozłoty puchar

szczery uśmiech, **szczera** koleżanka, **szczerzy** ludzie

Sześcioletni kuzyn szefa
zawsze szczerze się uśmiecha.

szczerzyć
szczerzę, szczerzysz, szczerz!, szczerzył, szczerzyli

szczęście
łut **szczęścia**, pomóż **szczęściu**

szczodry pan, **szczodrzy** wujowie, **szczodrzejszy** dziadek

szczupły chłopiec, **szczupli** ludzie, **szczuplejszy** niż zeszłego lata

szef
gabinet **szefa**, mój drogi **szefie**, **szefowie** firm, decyzja **szefów**

szepnąć
szepnę, szepniesz, szepnij!, szepnął, szepnęli

szeptać
szepczę lub szepcę, szepczesz lub szepcesz, szepcz!, szeptał, szeptali

szerokość materiału, dwie **szerokości**

szerszeń
żądło **szerszenia**, uciekali przed **szerszeniem**, **szerszenie** budują gniazda, rój **szerszeni**

szerzyć
szerzę, szerzysz, szerz!, szerzył, szerzyli

szesnaście lat, **szesnastu** zawodników, z **szesnastoma** lub z **szesnastu** złotymi

Przed szesnastą
przychodził pies Burek,
który pożyczał
kotkowi mundurek.

sześciolatek
urodziny **sześciolatka**, zabawy **sześciolatków**, spacer z **sześciolatkami**

sześć monet, **sześciu** braci, z **sześcioma** lub z **sześciu** kolegami

sześćdziesiąt dni, **sześćdziesięciu** pasażerów, z **sześćdziesięcioma** lub z **sześćdziesięciu** złotymi

sześćset monet, **sześciuset** klientów, z **sześciuset** złotymi

szkatułka
zawartość **szkatułki**, kolia w **szkatułce**, kluczyki do **szkatułek**, przechowuję skarby w **szkatułkach**

szklarz
zawód **szklarza**, mówił o **szklarzu**, **szklarze** wstawiają szyby, fach **szklarzy** lub **szklarzów**

szkło
huta **szkła**, na **szkle** malowane, ostrożnie ze **szkłem**; wymiana **szkieł** (okularów)

szkoła
nadano **szkole** imię, lubił **szkołę**, **szkoły** zawodowe, uczęszczał do różnych **szkół**

szkółka
: założono **szkółkę**, w wiejskiej **szkółce**, **szkółki** leśne, kilka **szkółek** w okolicy

sznur
: metr **sznura**, węzły na **sznurze**, grube **sznury**, pranie na **sznurach**

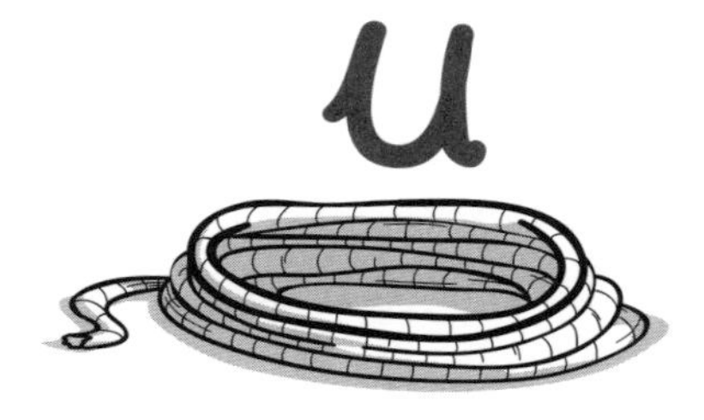

sznurek
: koniec **sznurka**, pętelka na **sznurku**, **sznurki** dywanów, makatka ze **sznurków**

sznurować
: sznuruję, sznurujesz, sznuruj!, sznurował, sznurowali

sznurowadło
: węzeł na **sznurowadle**, długie **sznurowadła**, para **sznurowadeł,** dzieci mają problem ze **sznurowadłami**

szóstka
: liczby przed **szóstką**, siódemka po **szóstce**, dwie **szóstki**, para **szóstek**

szóstoklasista
: tornister **szóstoklasisty**, dwóch **szóstoklasistów**

szósty rok, **szóstego** dnia, w **szóstym** miesiącu

szpulka
: nici na **szpulce**, **szpulki** krawcowej, kilka **szpulek**, pudło ze **szpulkami**

sztacheta
: długość **sztachety**, wyrwał **sztachetę**, płot ze **sztachet**, łaty na **sztachetach**

sztandar
: obrońca **sztandaru**, herb na **sztandarze**, **sztandary** wojsk, prezentowanie **sztandarów**

sztuczka
: brawa po **sztuczce**, setki **sztuczek** karcianych, wykonywał **sztuczki**, magik ze **sztuczkami**

sztuka
: zajmował się **sztuką**, **sztuki** piękne, mecenas **sztuk**; wystąpił w **sztuce** (w przedstawieniu)

szuflada
: skarby w **szufladzie**, **szuflady** w szafie, zamykanie **szuflad**, dokumenty w **szufladach**

Długo szukała
w szufladzie szpulki,
znalazła tylko
jakieś dziwne kulki.

szufladka
kluczyk od **szufladki**, każdy miał swoją **szufladkę**, kilka **szufladek**, skarby w **szufladkach**

szukać
szukam, szukasz, szukaj!, szukał, szukali

szum
bez **szumu**, stał w **szumie** ulic, **szumy** radia, nie mógł znieść **szumów**

szurać
szuram, szurasz, szuraj!, szurał, szurali

Szwajcaria
przybył do **Szwajcarii**, pakt ze **Szwajcarią**, miła **Szwajcarka**, mężny **Szwajcar**, **szwajcarski** ser, **szwajcarskie** zegarki

szyba
wstawianie **szyby**, stłukł **szybę**, rysa na **szybie**, mycie **szyb** wystawowych

szybki samochód, **szybcy** rowerzyści, **szybszy** motocyklista

Szybki motocyklista
pomknął do Szwajcarii,
bo tam chciał wysłuchać
jakiejś pięknej arii.

szybować
szybuję, szybujesz, szybuj!, szybował, szybowali

szyć
szyję, szyjesz, szyj!, szył, szyli

szyfr
nadanie **szyfru**, nie zapomnij o **szyfrze**, **szyfry** kas pancernych, łamacz **szyfrów**

szyja
mycie **szyi**, wyciągał **szyję**, **szyje** żyraf, na długich **szyjach**

szympans
inteligencja **szympansa**, zdjęcie z **szympansem**, **szympansy** w zoo, obserwowanie zwyczajów **szympansów**

an

Ś

ściąć
zetnę, zetniesz, zetnij!, ściął, ścięli

ściągnąć
ściągnę, ściągniesz, ściągnij!, ściągnął, ściągnęli

ścieg
nauka **ściegu**, pod **ściegiem**, **ściegi** ozdobne, kilka **ściegów**

ścieżka
zatrzymał się na **ścieżce**, **ścieżki** górskie, wiele **ścieżek** w lesie

ścigać
ścigam, ścigasz, ścigaj!, ścigał, ścigali

ściółka
grzyby rosną na **ściółce**, miękkość leśnych **ściółek**

ścisnąć
ścisnę, ściśniesz, ściśnij!, ścisnął, ścisnęli

ślad
brak **śladu**, rozpoznał po **śladzie**, **ślady** łosia, kształt **śladów**

Śląsk
mieszkańcy **Śląska**, pracowali na **Śląsku**, młoda **Ślązaczka**, **Ślązak** był górnikiem, kluski **śląskie**, gwara **śląska**

śledzić
śledzę, śledzisz, śledź!, śledził, śledzili

śledź
tuszka **śledzia**, solone **śledzie**, połów **śledzi**, zajadał się **śledziami**

ślisko na dworze

śliwka
ciasteczko ze **śliwką**, robaczek w **śliwce**, **śliwki** węgierki, drzewko w **śliwkach**

ślizgać się
ślizgam się, ślizgasz się, ślizgaj się!, ślizgał się, ślizgali się

ślizgawka
Hania na **ślizgawce**, szkolne **ślizgawki**, obok **ślizgawek**, dzieci na **ślizgawkach**

ślub
ceremonia **ślubu**, przed **ślubem**, uroczyste **śluby**; **śluby** zakonne, składanie **ślubów**

ślusarz
zakład **ślusarza**, rozmowa ze **ślusarzem**, dwaj **ślusarze**, mówili o **ślusarzach**

Na podwórku u ślusarza
jakiś bałwan się rozmraża.

śmiech
powód do **śmiechu**, odszedł ze **śmiechem**, odgłosy **śmiechów**

śnieg
bałwan ze **śniegu**, trawa pod **śniegiem**, głębokie **śniegi**, kraina wiecznych **śniegów**

śnieżek
sypanie **śnieżku**, drzewa przykryte **śnieżkiem**

Ż piszemy, gdy w formach tego samego wyrazu lub w wyrazach pokrewnych ulega wymianie na: g, h, s, z, ź, dz.

Śnieżka (szczyt górski)
zdobycie **Śnieżki**, schronisko na **Śnieżce**

śnieżka (kula śniegowa)
rzucił **śnieżką**, ślad po **śnieżce**, pod gradem **śnieżek**, bombardował **śnieżkami**

śnieżyca
pora **śnieżycy**, przed **śnieżycą**

śpioch
sen **śpiocha**, brat był **śpiochem**, **śpiochy** późno wstają, łóżka **śpiochów**

śpiwór
kolor **śpiwora**, leżał w **śpiworze**, dwa **śpiwory**, kilka **śpiworów**

środek
brak **środka**, stał na **środku**, dookoła **środków**; **środki** przeciwbólowe

śródmieście
budynki **śródmieścia**, mieszkam w **śródmieściu**

śruba
zakręcił **śrubę**, pamiętaj o **śrubie**, **śruby** w urządzeniu, rdza na **śrubach**

świadectwo
dostarczenie **świadectwa**, oceny na **świadectwie**, ze **świadectwem** kursu, uwagi na **świadectwach**

świat
obraz **świata**, bywał w **świecie**, dwa **światy**, kilka **światów**

światło
problem ze **światłem**, blask **świateł**, włączył **światła**, ulica w **światłach** neonów

świecić
świecę, świecisz, świeć!, świecił, świecili

świerszcz
skrzypki **świerszcza**, dom ze **świerszczem**, muzyka **świerszczy**, opowiadali o **świerszczach**

Zdolny świerszcz
grał wciąż na klarnecie
i występował w kabarecie.

świetny sprinter, **świetni** zawodnicy, **świetniejszy** niż poprzedni

świeży chleb, **świeższe** bułeczki

święto
przed **świętem** kościelnym, po **święcie** narodowym, **święta** Bożego Narodzenia, w czasie **świąt** Wielkiej Nocy

świnia
ryjek **świni**, prosiątka ze **świnią**, **świnie** na podwórku, hodowla **świń**, mówił o **świniach**

świt
blisko do **świtu**, przed **świtem**, o **świcie**, **świty** i zmierzchy, ile jeszcze **świtów**?

T

taksówka
kierowca **taksówki**, zatrzymał **taksówkę**, jechał żółtą **taksówką**, postój **taksówek**

taksówkarz
samochód **taksówkarza**, rozmowa z **taksówkarzem**, warszawscy **taksówkarze**, reportaż o **taksówkarzach**

także i ty możesz zostać artystą

talerz
nie mam **talerza**, obiad na **talerzu**, **talerze** we wzorki, sterta **talerzy**

tam i z powrotem przeszedł się po korytarzu

tamtędy wracał, gdy się spieszył

tamże się przeprowadził po śmierci babci

tancerz
strój **tancerza**, chciał zostać **tancerzem**, **tancerze** baletowi, figury **tancerzy**

taniec
nauka **tańca**, fascynacja **tańcem**, **tańce** ludowe, wykonali kilka **tańców**

Z zapałem tańczył fokstrota,
bo miał na tym punkcie kota.

targ
przekupki na **targu**, **Targi** Książki, rozpoczęcie **targów**, stoiska na **targach**

tato lub **tata**
samochód **taty**, mówił **tacie**, nasi **tatowie**, dzieci **tatów**

tatuaż
wzór **tatuażu**, pracował nad **tatuażem**, **tatuaże** na ręce, kilka **tatuaży**

tatuś
hobby **tatusia**, przyjdę z **tatusiem**, **tatusiowie** niech wam pomogą, zapytajcie **tatusiów**

tchórz
nie bądź **tchórzem**, **tchórze** siedzą w dziurze, przestraszono **tchórzy** lub **tchórzów**; zapach **tchórza**

tchórzyć
tchórzę, tchórzysz, tchórz!, tchórzył, tchórzyli

teatr
siedziba **teatru**, spotkanie w **teatrze**, **teatry** tańca, publiczność **teatrów**

teatrzyk
grupa dzieci przed **teatrzykiem**, przedstawienie w **teatrzyku**, **teatrzyki** kukiełkowe, publiczność **teatrzyków**

technika
rozwój **techniki**, doskonalił **technikę**, zawdzięczamy **technice**, pracował kilkoma **technikami**

technikum
uczeń **technikum**, pięcioletnie **technika**, dyrektorzy **techników**

teleturniej
temat **teleturnieju**, telewizyjne **teleturnieje**, uczestnik **teleturniejów**, zwyciężał w **teleturniejach**

temperatura
gotować w wysokiej **temperaturze**, **temperatury** tego lata, mierzenie **temperatur**, w podwyższonych **temperaturach**

temperować
temperuję, temperujesz, temperuj!, temperował, temperowali

temperówka
nie mam **temperówki**, piórnik z **temperówką**, ostrza w **temperówce**, kolory **temperówek**

tempo
żółwie **tempo**, utrzymywał się w **tempie**, różnica **temp**

tenisówka
spójrz na moją **tenisówkę**, plama na **tenisówce**, białe **tenisówki**, numer **tenisówek**

teraz będę troszeczkę trenował

teraźniejszość dzieje się teraz, żyli w **teraźniejszości**

teraźniejszy czas, **teraźniejsi** ludzie

Tere fere kuku
strzela baba z łuku.

termin
nie znam **terminu**, oddał książkę w **terminie**, **terminy** egzaminów, ustalenie **terminów**

termometr
zakup **termometru**, temperatura na **termometrze**, **termometry** rtęciowe, skale **termometrów**

terytorium
wyznaczone **terytorium**, rozmowy o **terytorium**, **terytoria** obcego państwa, granice **terytoriów**

testament
odczytanie **testamentu**, zapisane w **testamencie**, **testamenty** ciotek, sporządzanie **testamentów**

też masz pomysły!

tęcza
kolory **tęczy**, patrzyła w niego jak w **tęczę**, **tęczą** malowane niebo, kolory **tęcz**

tęgi mężczyzna, **tędzy** mężczyźni, **tęższy** chłop, **tężsi** od chłopców

tępić
tępię, tępisz, tęp!, tępił, tępili

tępy nóż, **tępi** ludzie, bardziej **tępe** nożyczki

tęsknić
tęsknię, tęsknisz, tęsknij!, tęsknił, tęsknili

tęsknota
uczucie **tęsknoty**, śpiewał o **tęsknocie**, spełnienie **tęsknot**, mówił o swoich **tęsknotach**

tętent
odgłosy **tętentu**, z **tętentem** koni

tętno
mierzenie **tętna**, kłopoty z **tętnem**, pamiętaj o **tętnie**!

tik-tak zegara to dobra miara

tiul
metr **tiulu**, suknia z **tiulem**, **tiule** jak mgiełka, odcienie **tiulów**

tkać
tkam, tkasz, tkaj!, tkał, tkali

Tkały pająki pajęczynę
tym razem na grubą zwierzynę.

tkanina
rysunek na **tkaninie**, **tkaniny** bawełniane, wybór **tkanin**

tknąć
tknę, tkniesz, tknij!, tknął, tknęli

tkwić
tkwię, tkwisz, tkwij!, tkwił, tkwili

tlen
składniki **tlenu**, butla z **tlenem**

tłum
siła **tłumu**, stał w **tłumie**, **tłumy** nieprzebrane, nie znosił **tłumów**

tłumacz
nazwisko **tłumacza**, był **tłumaczem**, **tłumacze** poezji, mało dobrych **tłumaczy**, spotkanie z **tłumaczami**

tłumaczyć
tłumaczę, tłumaczysz, tłumacz!, tłumaczył, tłumaczyli

tłumić
tłumię, tłumisz, tłum!, tłumił, tłumili

tłumnie wylegli na ulice, jest coraz **tłumniej**

tłusty ser, **tłustszy** pączek; **tłusty** czwartek; **tłuści** ludzie (otyli)

tłuszcz
warstwa **tłuszczu**, **tłuszcze** zwierzęce, kalorie w **tłuszczach**; walka z **tłuszczem** (z nadwagą)

tłuścioszek
apetyt **tłuścioszka**, jestem **tłuścioszkiem**, wesołe **tłuścioszki**, policzki **tłuścioszków**

Dla tłuścioszka zapach tortu
to prawdziwe morze tortur.

toaleta
wystrój **toalety**, mycie się w **toalecie**, publiczne **toalety**; wybór **toalet**, panie w eleganckich **toaletach**

tobół
zawartość **tobołu**, nie zapomnij o **tobole**, niosła **toboły**, bielizna w **tobołach**

> **ó** piszemy, gdy w innych formach tego samego wyrazu lub w wyrazach pokrewnych następuje wymiana na litery: **o**, **a**, **e**.

toczyć
toczę, toczysz, tocz!, toczył, toczyli

topór
ostrze **topora**, krew na **toporze**, **topory** katowskie, używali **toporów**

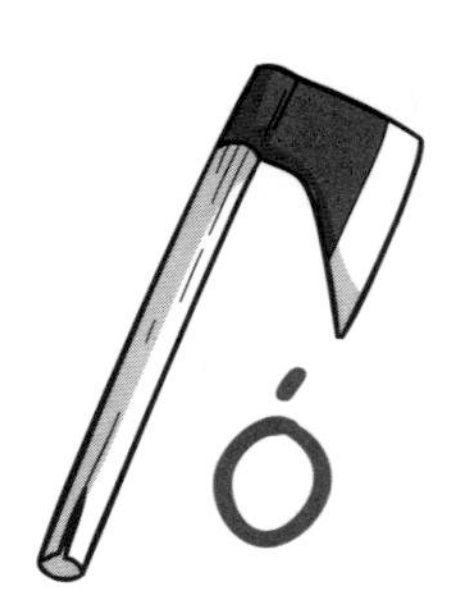

tor
mistrz **toru**, wyścigi na **torze**; **tory** kolejowe, remont **torów**

toreador
strój **toreadora**, **toreadorzy** biorą udział w korridzie, występy **toreadorów**

torebka
kolor **torebki**, cukierki w **torebce**, wielkość **torebek**, napisy na **torebkach**

tort
smak **tortu**, świeczki na **torcie**, **torty** czekoladowe, wypiekanie **tortów**

tortura
poddano go **torturze**, **tortury** średniowieczne, stosowanie **tortur**, umarł po **torturach**

toteż trudno powiedzieć, kto ma rację

towarzyski wieczór, **towarzyscy** ludzie, **towarzyskie** gry; taniec **towarzyski**

towarzysz
mam **towarzysza**, szedł z **towarzyszem**, **towarzysze** podróży, cenił **towarzyszy** lub **towarzyszów**

towarzyszyć
towarzyszę, towarzyszysz, towarzysz!, towarzyszył, towarzyszyli

to znaczy, że przyjdziesz?

tożsamość człowieka, dowód **tożsamości**

trach! pękły ciasne spodnie

tracić
tracę, tracisz, trać!, tracił, tracili

tradycja
pielęgnowanie **tradycji**, zgodnie z **tradycją**, **tradycje** rodzinnego stołu, rozmawiali o **tradycjach**

trafiać
trafiam, trafiasz, trafiaj!, trafiał, trafiali

trafić
trafię, trafisz, traf!, trafił, trafili

tragarz
wynajęcie **tragarza**, szedł z **tragarzem**, **tragarze** chodzą w parze, rozmawiali o **tragarzach**

Nieuważny tragarz
zgubił cały bagaż.

tragedia
finał **tragedii**, **tragedie** rodzinne; wystawiali **tragedię**, aktorzy w **tragediach**

traktor
kierowca **traktora**, siedział na **traktorze**, dwa **traktory**, mechanicy **traktorów**

traktorzysta
wiadomość dla **traktorzysty**, zatrudnił **traktorzystę**, **traktorzyści** podczas żniw, dwóch **traktorzystów**

traktować
traktuję, traktujesz, traktuj!, traktował, traktowali

tramwaj
numer **tramwaju**, jeżdżę **tramwajem**, czerwone **tramwaje**, motorniczy **tramwajów** lub **tramwai**

tramwajarz
czapka **tramwajarza**, wrocławscy **tramwajarze**, kilku **tramwajarzy**

trawa
leżał na **trawie**, wysokie **trawy** sawanny, korzenie **traw**, połoniny w **trawach**

W wysokich trawach
chowały się pszczoły,
bardzo nie chciały
pójść do letniej szkoły.

trawić
trawię, trawisz, traw!, trawił, trawili

trawka
wyjechał na zieloną **trawkę**, siedzieli na **trawce**, **trawki** w bukietach, ukrył się w **trawkach**

trawożerne zwierzę, np. owca, koń

trąba
słoń wywijał **trąbą**, słonie z **trąbami**; grał na **trąbie**, **trąby** w orkiestrze

trąbić
trąbię, trąbisz, trąb!, trąbił, trąbili

trąbka
dźwięk **trąbki**, zwinął serwetkę w **trąbkę**, grał na **trąbce**, grali na **trąbkach**

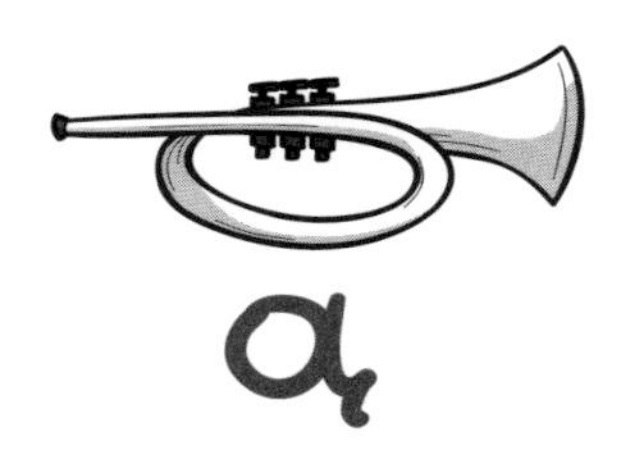

trącać
trącam, trącasz, trącaj!, trącał, trącali

trącić
trącę, trącisz, trąć!, trącił, trącili

treser
trening **tresera**, zwierzęta z **treserem**, **treserzy** lwów, występ **treserów**

tresować
tresuję, tresujesz, tresuj!, tresował, tresowali

treść
spis **treści**, zapoznać się z **treścią**

trochę mniej bolał mnie ząb

troll
kaftanik **trolla**, przygody z **trollem**, **trolle** mieszkają w górach, magia **trolli** lub **trollów**

Widziałeś trolla,
który szedł w deszczu
bez parasola?

tron
zdobienia **tronu**, zasiadał na **tronie**, **trony** królewskie, dziedziczenie **tronów**

trója
najpierw **tróje**, potem dwóje, kilka **trój**

trójbarwny sztandar

trójka
dwójka przed **trójką**, **trójki** w zeszycie, kilka **trójek**

trójkąt
boki w **trójkącie**, **trójkąty** równoboczne

trójlistna koniczyna

Trójmiasto, czyli Gdańsk, Sopot, Gdynia (zespół trzech pobliskich miast), projekt połączenia miast w **trójmiasto**

trójząb
Neptun z **trójzębem**

trucizna
działanie **trucizny**, połknął **truciznę**, zgon po **truciźnie**, moc **trucizn**

truć
truję, trujesz, truj!, truł, truli

trud
bez **trudu**, w wielkim **trudzie**, **trudy** podróży, po wielu **trudach**
trudny temat, **trudni** rozmówcy, **trudniejszy** problem
trudzić (się)
trudzę, trudzisz, trudź!, trudził, trudzili
truskawka
urwał ogonek **truskawce**, **truskawki** ze śmietaną, kilogram **truskawek**, placek z **truskawkami**

Lubił truskawki ze śmietaną,
mógłby je jeść wieczorem i rano.

trwać
trwam, trwasz, trwaj!, trwał, trwali
trwoga
uczucie **trwogi**, krzyczał w **trwodze**, stany **trwóg**
trwożyć
trwożę, trwożysz, trwóż!, trwożył, trwożyli
tryumf lub **triumf**
powód **tryumfu**, patrzył z **triumfem**, wielkie **tryumfy**, wspomnienie **triumfów**
trzask
dźwięk **trzasku**, wpadł z **trzaskiem**, **trzaski** zza ściany, bał się **trzasków**
trzaskać
trzaskam, trzaskasz, trzaskaj!, trzaskał, trzaskali
trzasnąć
trzasnę, trzaśniesz, trzaśnij!, trzasnął, trzasnęli
trząść
trzęsę, trzęsiesz, trzęś! lub trząś!, trząsł, trzęśli
trzcina
jezioro zarośnięte **trzciną**, **trzciny** na stawie, wśród **trzcin**, ptaki w **trzcinach**

trzeba być upartym i wytrwałym
trzeci dzień, **trzeciego** dnia miesiąca, w **trzecim** dniu
trzeć
trę, trzesz, trzyj!, tarł, tarli

trzepać
trzepię, trzepiesz, trzep!, trzepał, trzepali

trzepotać
trzepoczę lub trzepocę, trzepoczesz lub trzepocesz, trzepocz!, trzepotał, trzepotali

trzeszczeć
trzeszczę, trzeszczysz, trzeszcz!, trzeszczał, trzeszczeli

trzewiczek
rozmiar **trzewiczka**, dziurka w **trzewiczku**, **trzewiczki** lalek, dziewczynka w **trzewiczkach**

trzewik
reperacja **trzewika**, skarpetka nad **trzewikiem**, **trzewiki** tancerek, sznurowadła **trzewików**

trzmiel
bzyczenie **trzmiela**, ukryj się przed **trzmielem**, **trzmiele** na łąkach, lot **trzmieli**

Trzmiel
w ciasnym trzewiku
tańczył
walca na trawniku.

trzonek
młotek na **trzonku**, z drewnianym **trzonkiem**, **trzonki** łopat, widły na **trzonkach**

trzonowy ząb

trzódka
nie ma **trzódki**, przyglądała się rozbawionej **trzódce**, poszli całą **trzódką** (o gromadce dzieci)

trzpiot
żarty **trzpiota**, nie bądź **trzpiotem**, dwa **trzpioty**, wesołość **trzpiotów**

trzy koleżanki, **trzech** kolegów, obrączki nałożono **trzem** ptakom, z **trzema** mężczyznami

trzycyfrowy numer

trzydniowy wyjazd, powrót z **trzydniowej** wycieczki

trzydziesty zawodnik, **trzydziesta** kolekcja, w **trzydziestym** dniu pracy

trzydzieści lat, **trzydziestu** uczniów, z **trzydziestoma** lub z **trzydziestu** harcerzami

trzymać
trzymam, trzymasz, trzymaj!, trzymał, trzymali

trzynastka
zaufał **trzynastce**, Klub pod **Trzynastką**, pechowe **trzynastki**, cyfry **trzynastek**

trzynaście osób, **trzynastu** uczestników, z **trzynastoma** lub z **trzynastu** talarami ruszył w świat

trzysta dni, **trzystu** chłopów, z **trzystu** lub z **trzystoma** ludźmi

tubka
pasta w **tubce**, **tubki** z klejem, parę **tubek**, farby w **tubkach**

tuczyć
tuczę, tuczysz, tucz!, tuczył, tuczyli

tu i tam uśmiechy wam dam!

tulić
tulę, tulisz, tul!, tulił, tulili

tulipan
kwiat **tulipana**, chłopiec z **tulipanem**, żółte **tulipany**, plantacja **tulipanów**

tuńczyk
złowił **tuńczyka**, sałatka z **tuńczykiem**, ogromne **tuńczyki**, ławica **tuńczyków**

tupać
tupię, tupiesz, tup!, tupał, tupali

tur
głowa **tura**, **tury** w rezerwacie

tura
w drugiej **turze**, mecz w kilku **turach**

Turcja
stolica **Turcji**, zwiedzać **Turcję**, mała **Turczynka**, duży **Turek**, **turecki** dywan, kawa po **turecku**

Na piękne tureckie dywany
kładł się fakir wyczerpany.

turkot
turkot powozu, odgłos **turkotu**, wóz jechał z **turkotem**

turlać
turlam, turlasz, turlaj!, turlał, turlali

turniej
zwycięzca **turnieju**, przed **turniejem** szachowym, **turnieje** rycerskie, uczestnicy **turniejów**

turysta
przewodnik **turysty**, wskazał **turyście** kierunek, **turyści** w Krakowie, bagaże **turystów**

turystyczny ekwipunek, w sezonie **turystycznym**, szlaki **turystyczne**

tusz
kleks z **tuszu**, rysował **tuszem**, **tusze** do rzęs, kolory **tuszów**

tutaj odbędzie się bal

tutejszy sklepik jest dobrze zaopatrzony

tuż-tuż były wojska nieprzyjaciół

twarożek
łyżka **twarożku**, bułeczka z **twarożkiem**, **twarożki** czosnkowe, smak **twarożków**

Na śniadanie jadał
pszenne rożki
i ze szczypiorkiem
smaczne twarożki.

twaróg
kilogram **twarogu**, sałatka z **twarogiem**, **twarogi** ze śmietany, skosztuj różnych **twarogów**

twarz
kształt **twarzy**, pogłaskał go po **twarzy**, **twarze** uśmiechnięte, spokój na **twarzach**

twarzyczka
na rumianej **twarzyczce**, anielskie **twarzyczki**, urok dziecięcych **twarzyczek**

twierdzić
twierdzę, twierdzisz, twierdź!, twierdził, twierdzili

tworzyć
tworzę, tworzysz, twórz!, tworzył, tworzyli

twój
twojego (**twego**) pokoju, polecam **twojej** (**twej**) opiece, **twoi** rodzice, **twoich** (**twych**) książek

twórca
nazwisko **twórcy**, wywiad z **twórcą**, rozmowa **twórców**, byli **twórcami**

ty
lubię **ciebie** albo **cię**, przyglądam się **tobie**, idę z **tobą**

tygrys
pręgi **tygrysa**, **tygrysy** syberyjskie, reportaż o **tygrysach**

Tygrysek trudny miał charakterek
i prążków na grzbiecie cały szereg.

tyleż czasu straciłem, co i zyskałem

tylko ty mnie rozumiesz

tymczasem pójdziemy na basen

tys. (czytaj: **tysiąc**, **tysiące**)
4 **tys.** – cztery **tysiące**, 5,5 **tys.** – pięć i pół **tysiąca**

tysiąc
zniknięcie **tysiąca**, kilka **tysięcy** drzew

tysiącletnie dzieje miasta

tytuł
brzmienie **tytułu**, imię w **tytule**, **tytuły** rozdziałów, liczba **tytułów** na półce

tytułowy bohater, **tytułowa** strona, **tytułowe** karty, **tytułowi** bohaterowie

tzn.
(czytaj: **to znaczy**)

U

ubiór
fragment **ubioru**, mówił o **ubiorze**, **ubiory** damskie, modele **ubiorów**

ubliżać
ubliżam, ubliżasz, ubliżaj!, ubliżał, ubliżali

ubłocić
ubłocę, ubłocisz, ubłoć!, ubłocił, ubłocili

ubogi człowiek, **ubodzy** starcy, **uboższy** od innych

ubóstwiać
ubóstwiam, ubóstwiasz, ubóstwiaj!, ubóstwiał, ubóstwiali

ubrać się
ubiorę się, ubierzesz się, ubierz się!, ubrał się, ubrali się

ubranie
w nowym **ubraniu**, **ubrania** ochronne, wybór **ubrań**

ubrudzić
ubrudzę, ubrudzisz, ubrudź!, ubrudził, ubrudzili

ucho (narząd słuchu)
ból **ucha**, za **uchem**, odstające **uszy**, nie mył **uszu** lub **uszów**

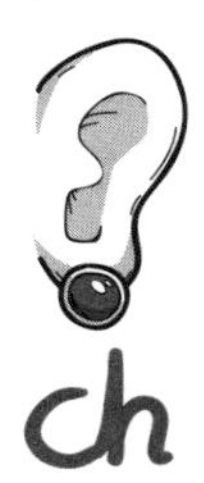

ucho (uchwyt)
ucha lub **uszy** filiżanki, liczba **uch** lub **uszu**, lub **uszów**

uchronić
uchronię, uchronisz, uchroń!, uchronił, uchronili

uchwyt
montowanie **uchwytu**, na **uchwycie**, dwa **uchwyty**, wytrzymałość **uchwytów**

uciąć
utnę, utniesz, utnij!, uciął, ucięli

uciecha
klaskał z **uciechy**, uciekł ku **uciesze** tłumu, sprawić komuś **uciechę**, wiele **uciech**

Ch piszemy, gdy w innych formach tego samego wyrazu lub w wyrazach pokrewnych następuje wymiana się na **sz**.

ucieczka
plan **ucieczki**, przed **ucieczką**, informacja o **ucieczce**, po **ucieczkach**

uciekać
uciekam, uciekasz, uciekaj!, uciekał, uciekali

Uciekał przez pola i lasy,
aż zgubił swych
butów obcasy.

uciekinier
nazwisko **uciekiniera**, informacja o **uciekinierze**, groźni **uciekinierzy**, poszukiwania **uciekinierów**

ucieszyć
ucieszę, ucieszysz, uciesz!, ucieszył, ucieszyli

uczciwy człowiek, **uczciwe** oceny, **uczciwszy** werdykt

uczennica
oceny **uczennicy**, rozmowa z **uczennicą, uczennice** szkoły podstawowej, warkoczyki **uczennic**

uczeń
dzienniczek **ucznia**, kłopoty z **uczniem**, **uczniowie** liceum, oceny **uczniów**

uczesać
uczeszę, uczeszesz, uczesz!, uczesał, uczesali

uczestnik
numer **uczestnika**, Janek był **uczestnikiem**, **uczestnicy** wycieczki, para **uczestników**

uczta
rozpoczęli **ucztę**, bawili się na **uczcie**, **uczty** weselne, gospodarze **uczt**

U piszemy na początku wyrazów.

uczucie
wspomnienie wielkiego **uczucia**, głębokie **uczucia**, stan **uczuć**, nie liczył się z **uczuciami** innych

uczulić
uczulę, uczulisz, uczul!, uczulił, uczulili

uczyć
uczę, uczysz, ucz!, uczył, uczyli

uczynić
uczynię, uczynisz, uczyń!, uczynił, uczynili

udar
na skutek **udaru**, dolegliwości po **udarze**, **udary** słoneczne, ofiary **udarów**

udawać
udaję, udajesz, udawaj!, udawał, udawali
udekorować
udekoruję, udekorujesz, udekoruj!, udekorował, udekorowali
udeptać
udepczę lub udepcę, udepczesz lub udepcesz, udepcz!, udeptał, udeptali
uderzać
uderzam, uderzasz, uderzaj!, uderzał, uderzali
uderzenie
po **uderzeniu**, przed **uderzeniem**, mocne **uderzenia**, kilka **uderzeń**
uderzyć
uderzę, uderzysz, uderz!, uderzył, uderzyli
udko
z **udkiem** w ręce, już po **udku**!, **udka** kurze, rosołek z **udek**

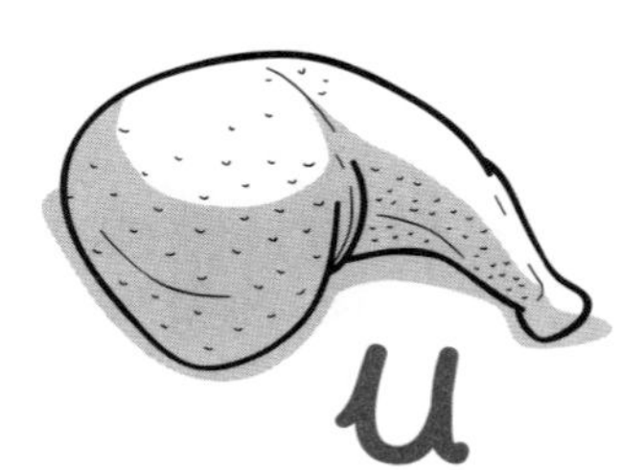

udo
kontuzja **uda**, siniak na **udzie**, kształt **ud**, dłonie na **udach**
udostępnić
udostępnię, udostępnisz, udostępnij!, udostępnił, udostępnili
udowodnić
udowodnię, udowodnisz, udowodnij!, udowodnił, udowodnili
udział
forma **udziału**, po **udziale** w konkursie; **udziały** spółek, podział **udziałów**
udzielać
udzielam, udzielasz, udzielaj!, udzielał, udzielali
udzielić
udzielę, udzielisz, udziel!, udzielił, udzielili
ufność bezgraniczna, brak **ufności**
ugotować
ugotuję, ugotujesz, ugotuj!, ugotował, ugotowali
ugryźć
ugryzę, ugryziesz, ugryź!, ugryzł, ugryźli
uha, ha, nasza zima bardzo zła!
uhm! zamruczał zagadnięty

ukarać
ukarzę, ukarzesz, ukarz!, ukarał, ukarali

ukazać
ukażę, ukażesz, ukaż!, ukazał, ukazali

układ
współrzędne **układu**, działania w **układzie**, **układy** sił, schematy **układów**

układać
układam, układasz, układaj!, układał, układali

ukłon
forma **ukłonu**, zgiął się w **ukłonie**, **ukłony** dla żony, kilka **ukłonów**

ukłuć
ukłuję, ukłujesz, ukłuj!, ukłuł, ukłuli

ukochany pies, **ukochane** książki, **ukochani** rodzice

ukoić
ukoję, ukoisz, ukój!, ukoił, ukoili

ukos
spojrzał z **ukosa**, zjeżdżał **ukosem**, **ukosy** ściany, kilka **ukosów**

ukradkiem przemknął przez bramę

ukraść
ukradnę, ukradniesz, ukradnij!, ukradł, ukradli

ukrócić
ukrócę, ukrócisz, ukróć!, ukrócił, ukrócili

ukryć
ukryję, ukryjesz, ukryj!, ukrył, ukryli

ukrywać
ukrywam, ukrywasz, ukrywaj!, ukrywał, ukrywali

ul
mieszkańcy **ula**, pszczoły w **ulu**, dziadek miał **ule**, ilość **uli** lub **ulów** w pasiece

ul. (czytaj: **ulica**)
adres: **ul.** Przybrzeżna 1

ulica
szedł **ulicą**, stał na **ulicy**, **ulice** miasta, numery **ulic**

uliczka
spacerował **uliczką**, latarnia w **uliczce**, **uliczki** Starego Miasta w Gdańsku, zgubił się w **uliczkach**

ulubienica
była jego **ulubienicą**, **ulubienice** publiczności, grono **ulubienic** profesora

ulubieniec
autograf **ulubieńca**, **ulubieńcy** dzieci, zdjęcia **ulubieńców**

ulubiony film, **ulubiona** sukienka, w **ulubionych** kolorach, **ulubieni** bohaterowie

ułamek
zapis **ułamka**, liczby w **ułamku**, **ułamki** dziesiętne, pomóż jej w **ułamkach**

ułożyć
ułożę, ułożysz, ułóż!, ułożył, ułożyli

umiarkowany klimat, **umiarkowana** temperatura, **umiarkowani** optymiści

umieć
umiem, umiesz, umiej!, umiał, umieli

umiejętność płynnego czytania, **umiejętności** kulinarne

umorzyć
umorzę, umorzysz, umórz!, umorzył, umorzyli

Sędzia umorzył wszelkie sprawy,
co mu dodało tylko sławy.

umowa
zawarcie **umowy**, zapoznanie się z **umową**, **umowy** handlowe, podpisywanie **umów**

umożliwiać
umożliwiam, umożliwiasz, umożliwiaj!, umożliwiał, umożliwiali

umożliwić
umożliwię, umożliwisz, umożliw!, umożliwił, umożliwili

umówić się
umówię się, umówisz się, umów się!, umówił się, umówili się

umyć
umyję, umyjesz, umyj!, umył, umyli

umysł
zdolności **umysłu**, powstał w **umyśle**, przytomność **umysłów**; **umysły** ścisłe

umysłowy wysiłek, praca **umysłowa**, **umysłowi** pracownicy

upadek
efekt **upadku**, przed **upadkiem**, **upadki** z wysoka, ofiary **upadków**

upał
nie znoszę **upału**, podróżował w **upale**, **upały** lata, fala **upałów**

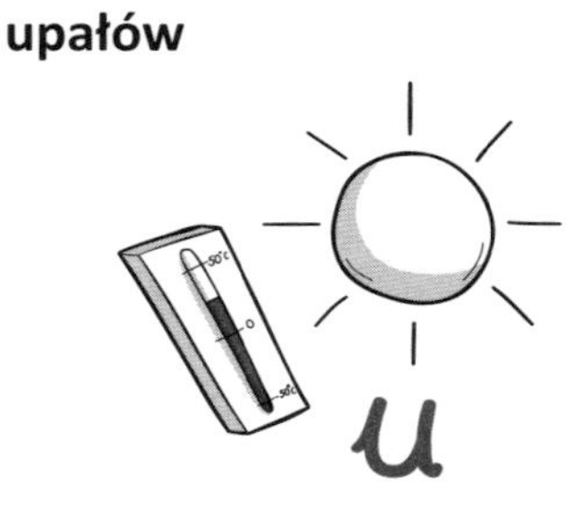

uparty człowiek, **uparta** klientka, **uparci** jak osły

upaść
upadnę, upadniesz, upadnij!, upadł, upadli

upchnąć
upchnę, upchniesz, upchnij!, upchnął, upchnęli

upór
miał wiele **uporu**, z **uporem** szedł naprzód, nieprzejednany w swoim **uporze**

uprzejmość wielka, brak **uprzejmości**

urazić
urażę, urazisz, uraź!, uraził, urazili

urażać
urażam, urażasz, urażaj!, urażał, urażali

uroda
brak **urody**, żaba marzy o **urodzie**

Żaba, choć urodą
nie grzeszyła wielką,
bardzo chciała
zostać top modelką.

urodzaj
nie było **urodzaju**, dobre **urodzaje**, klęska **urodzajów** lub **urodzai**

urok
rumieniec dodawał jej **uroku**, był pod jej **urokiem**, **uroki** prowincji; rzucanie **uroków**

urząd
siedziba **urzędu**, załatwiał sprawę w **urzędzie**, **urzędy** miejskie, budynki **urzędów**

W urzędzie siedziała
urzędniczka wspaniała
i nam pomagała.

urządzać
urządzam, urządzasz, urządzaj!, urządzał, urządzali

urządzenie
awaria **urządzenia**, przed **urządzeniem,** kilka **urządzeń**; **urządzenie** mieszkania

urządzić
urządzę, urządzisz, urządź!, urządził, urządzili

urzec
urzeknę, urzekniesz, urzeknij!, urzekł, urzekli

urzekać
urzekam, urzekasz, urzekaj!, urzekał, urzekali

urzędniczka
praca **urzędniczki**, mówił **urzędniczce**, miłe **urzędniczki**, pokoje **urzędniczek**

urzędnik
biuro **urzędnika**, był **urzędnikiem**, **urzędnicy** poczty, szkolenie **urzędników**

uschnąć
uschnę, uschniesz, uschnij!, uschnął lub usechł, uschli

usługa
i już po **usłudze**, **usługi** krawieckie, cena **usług**, był na jego **usługach**

usłużny chłopiec, **usłużna** panna, **usłużni** przyjaciele, **usłużniejszy** niż zwykle

usmażyć
usmażę, usmażysz, usmaż!, usmażył, usmażyli

usnąć
usnę, uśniesz, uśnij!, usnął, usnęli

uspokoić
uspokoję, uspokoisz, uspokój!, uspokoił, uspokoili

usprawiedliwiać
usprawiedliwiam, usprawiedliwiasz, usprawiedliwiaj!, usprawiedliwiał, usprawiedliwiali

usta
kształt **ust**, oddychał **ustami**, trzymał w **ustach** cukierka

ustąpić
ustąpię, ustąpisz, ustąp!, ustąpił, ustąpili

usterka naprawiona, już po **usterce**, **usterki** techniczne, liczba **usterek**, problem z **usterkami**

ustrój
forma **ustroju**, wraz z **ustrojem**, **ustroje** polityczne, obalanie **ustrojów**

ustrzec
ustrzegę, ustrzeżesz, ustrzeż!, ustrzegł, ustrzegli

ustrzelić
ustrzelę, ustrzelisz, ustrzel!, ustrzelił, ustrzelili

usunąć
usunę, usuniesz, usuń!, usunął, usunęli

usypiać
usypiam, usypiasz, usypiaj!, usypiał, usypiali

uszczelka
pęknięcie **uszczelki**, rysa na **uszczelce**, rozmiary **uszczelek**, kłopot z **uszczelkami**

uszkadzać
uszkadzam, uszkadzasz, uszkadzaj!, uszkadzał, uszkadzali

uszko
szeptał na **uszko**, łaskotał za **uszkiem**; **uszka** z grzybami, barszcz z **uszkami**

uszkodzić
uszkodzę, uszkodzisz, uszkodź!, uszkodził, uszkodzili

uszyć
uszyję, uszyjesz, uszyj!, uszył, uszyli

uśmiech
czar **uśmiechu**, z **uśmiechem** na ustach, **uśmiechy** dzieci, słodycz **uśmiechów**

Przypinał do twarzy
uśmiech słodki,
gdy wieczorami
chodził na plotki.

uśmiechać się
uśmiecham się, uśmiechasz się, uśmiechaj się!, uśmiechał się, uśmiechali się

uśmiechnąć się
uśmiechnę się, uśmiechniesz się, uśmiechnij się!, uśmiechnął się, uśmiechnęli się

uśmiechnięty człowiek, **uśmiechnięci** ludzie

uśpić
uśpię, uśpisz, uśpij!, uśpił, uśpili

utonąć
utonę, utoniesz, utoń!, utonął, utonęli

utrzymać
utrzymam, utrzymasz, utrzymaj!, utrzymał, utrzymali

utworzyć
utworzę, utworzysz, utwórz!, utworzył, utworzyli

utwór
bohater **utworu**, anegdoty w **utworze**, **utwory** muzyczne, analiza **utworów**

utyć
utyję, utyjesz, utyj!, utył, utyli

uwaga
brał to pod **uwagę**, miał to na **uwadze**, **uwagi** krytyczne, przyjął bez **uwag**

uważać
uważam, uważasz, uważaj!, uważał, uważali

Musieli bardzo uważać
poeci,
by ich utwory trafiały
do dzieci.

uwierzyć
uwierzę, uwierzysz, uwierz!, uwierzył, uwierzyli

uzależnić
uzależnię, uzależnisz, uzależnij!, uzależnił, uzależnili

uzbroić
uzbroję, uzbroisz, uzbrój!, uzbroił, uzbroili

uzdolnienia muzyczne, brak **uzdolnień**

uzewnętrzniać
uzewnętrzniam, uzewnętrzniasz, uzewnętrzniaj!, uzewnętrzniał, uzewnętrzniali

uzewnętrznić
uzewnętrznię, uzewnętrznisz, uzewnętrznij!, uzewnętrznił, uzewnętrznili

uznanie
dowody **uznania**, cieszył się **uznaniem**

użądlić
użądlę, użądlisz, użądlij!, użądlił, użądlili

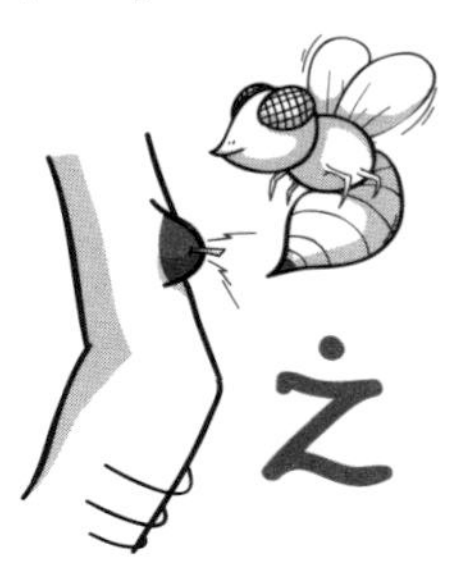

użyć
użyję, użyjesz, użyj!, użył, użyli

użyteczny komputer, **użyteczniejszy** przedmiot

użytkownik

dane **użytkownika**, umowa z **użytkownikiem**, **użytkownicy** dróg, nazwiska **użytkowników**

Użytkownika lokalu
użądliła osa
i to w dodatku –
w sam czubek nosa.

używać

używam, używasz, używaj!, używał, używali

użyźniać

użyźniam, użyźniasz, użyźniaj!, użyźniał, użyźniali

W

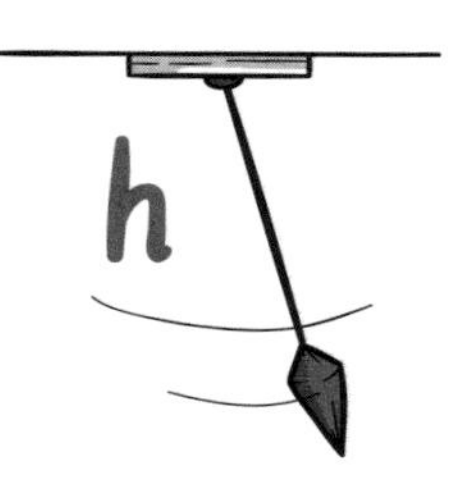

wachlarz

wzór **wachlarza**, dama z **wachlarzem**, **wachlarze** japońskie, szum **wachlarzy** lub **wachlarzów**

Zenon Wafelek z wachlarzem chodził na słoneczną plażę.

wachlować

wachluję, wachlujesz, wachluj!, wachlował, wachlowali

wachta

objął **wachtę** nad ranem, zasnął na **wachcie**, kilka **wacht**

wafel

łamanie **wafla**, lody w **waflu**, kruche **wafle**, torcik z **wafli**

waga

z dużą **wagą**, stanął na **wadze**, **wagi** towarowe, skala **wag**

wahać się

waham się, wahasz się, wahaj się!, wahał się, wahali się

wahadło

ruch **wahadła**, ciężarek z **wahadłem**, ustawianie **wahadeł**

wakacje

okres **wakacji**, przed **wakacjami**, po **wakacjach**

walizka

potknął się o **walizkę**, krawat w **walizce**, **walizki** ze skóry, majątek w **walizkach**

Wałbrzych

śródmieście **Wałbrzycha**, mieszkał w **Wałbrzychu**, miła **wałbrzyszanka**, rodowity **wałbrzyszanin**, **wałbrzyska** kopalnia, **wałbrzyskie** ulice

warczeć

warczę, warczysz, warcz!, warczał, warczeli

warknąć

warknę, warkniesz, warknij!, warknął, warknęli

warunek

spełnienie **warunku**, pod **warunkiem**, **warunki** umowy, omówienie **warunków**

warzyć (gotować)

warzę, warzysz, warz!, warzył, warzyli

warzywnik
uprawa **warzywnika**, sad za **warzywnikiem**, niewielkie **warzywniki**, grządki w **warzywnikach**

warzywo
witaminy w **warzywie**, **warzywa** strączkowe, skup **warzyw**, potrawa z **warzywami**

ważka
mówił o **ważce**, **ważki** nad wodą, skrzydełka **ważek**, pogoń za **ważkami**

ważny powód, **ważni** goście, **ważniejszy** od poprzedniego klienta

ważyć (na wadze)
ważę, ważysz, waż!, ważył, ważyli

wąchać
wącham, wąchasz, wąchaj!, wąchał, wąchali

wąs
podstrzyżenie **wąsa**, uśmiechał się pod **wąsem**, okruch na **wąsie**, **wąsy** strażaka, właściciel **wąsów**

wąsik
pielęgnowanie **wąsika**, fryzjer z **wąsikiem**, **wąsiki** królika, okruszki na **wąsikach**

wąski korytarz, **wąscy** w ramionach, **węższy** w pasie

wąwóz
jechali **wąwozem**, spali w **wąwozie**, głębokie **wąwozy**, zbocza **wąwozów**

wąż
skóra **węża**, **węże** w terrarium, zaklinacze **węży** lub **wężów**, cętki na **wężach**

> **Ą**, **ę** piszemy, jeżeli **ą** wymienia się na **ę** lub odwrotnie.
>
> 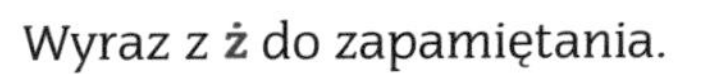
> Wyraz z **ż** do zapamiętania.

wcale a wcale do szkół się nie palę

wchodzić
wchodzę, wchodzisz, wchodź!, wchodził, wchodzili

wciąż się uczył

wczoraj przyszedł i został

wczorajszy obiad, **wczorajsi** przechodnie

wdech
na **wdechu**, **wdechy** krótkie jak wydechy, kilka **wdechów**

wehikuł
budowa **wehikułu**, zasiadł w **wehikule**, **wehikuły** czasu, twórca **wehikułów**

wejść
wejdę, wejdziesz, wejdź!
wszedł, weszli

Wenecja
piękna **Wenecja**, przed **Wenecją**, karnawał w **Wenecji**, miła **wenecjanka**, znajomy **wenecjanin**, **weneckie** kanały, w **weneckich** pałacach

wepchnąć
wepchnę, wepchniesz, wepchnij!, wepchnął, wepchnęli

wernisaż
wystawa z **wernisażem**, goście na **wernisażu**, **wernisaże** w galeriach, bywał na **wernisażach**

westchnienie
odszedł z **westchnieniem**, głębokie **westchnienia**, obyło się bez **westchnień**

weterynarz
pacjenci **weterynarza**, pomagał **weterynarzowi**, **weterynarze** udzielają pomocy, opinia o **weterynarzach**

wewnątrz domu

wewnętrzny narząd; **wewnętrzny** spokój

węch
nie miał dobrego **węchu**, kierował się **węchem**

wędka
kołowrotek **wędki**, ryba na **wędce**, długość **wędek**, nie zapomnij o **wędkach**

wędkarz
trofeum **wędkarza**, był zamiłowanym **wędkarzem**, **wędkarze** są cierpliwi, plotkowali o **wędkarzach**

wędrować
wędruję, wędrujesz, wędruj!, wędrował, wędrowali

wędrówka
trasa **wędrówki**, wybrał się na **wędrówkę**, odpoczynek po **wędrówce**, entuzjasta **wędrówek**

węgiel
wydobycie **węgla**, ciężarówka z **węglem**, czarne **węgle**, kosz **węgli**

Węgierka (zobacz **Węgry**)

węgierka (owoc)
robak w **węgierce**, **węgierki** na drzewie, powidła z **węgierek**, pestki w **węgierkach**

węgorz

połów **węgorza**, danie z **węgorzem**, długie **węgorze**, mięso **węgorzy** lub **węgorzów**

Węgry

granice **Węgier**, bywał na **Węgrzech**, rozmowna **Węgierka**, miły **Węgier**, **węgierska** kuchnia, **węgierskie** czardasze

Wczoraj tańczył
czardasze z Węgierką,
która była cudowną tancerką.

wężyk

w kształcie **wężyka**, ozdobiony **wężykiem**, **wężyki** kolein, nie malował **wężyków**

wiadro

woda w **wiadrze**, **wiadra** piasku, uchwyty **wiader**, szła z **wiadrami**

wiara

wyznanie **wiary**, przywracał **wiarę**, kierował się **wiarą**, wytrwał w **wierze**

wiatr

siła **wiatru**, stał na **wietrze**, róża **wiatrów**, przepędzić kogoś na cztery **wiatry** (przepędzić kogoś bezwzględnie)

wiązać

wiążę, wiążesz, wiąż!, wiązał, wiązali

wicher

siła **wichru**, spokój po **wichrze**, **wichry** na wzgórzu, żagiel zniszczony **wichrami**

wichura

początek **wichury**, przed **wichurą**, deszcz po **wichurze**, skutki **wichur**

widokówka
adres na **widokówce**, **widokówki** znad morza, kolekcja **widokówek**, klaser z **widokówkami**

Na widokówce
z Wrocławia
wielbłąd wiewiórkę
przedstawia.

wieczerza
nakrył stół do **wieczerzy**, życzenia przed **wieczerzą**, **wieczerze** wigilijne

wieczny spokój, **wieczni** maruderzy

wieczorynka
pora **wieczorynki**, opowiadał o **wieczorynce**, przed **wieczorynką**

wieczór
zakończenie **wieczoru**, na uroczystym **wieczorze**, **wieczory** czerwcowe, urok zimowych **wieczorów**

> Ó piszemy, gdy w innych formach tego samego wyrazu lub w wyrazach pokrewnych następuje wymiana na litery: **o**, **a**, **e**.

wiedźma
czary **wiedźmy**, spotkanie z **wiedźmą**, zlot **wiedźm** na Łysej Górze

wielbłąd
garb **wielbłąda**, jazda na **wielbłądzie**, **wielbłądy** w zoo, stado **wielbłądów**

wielkolud
wzrost **wielkoluda**, baśń o **wielkoludzie**, **wielkoludy** z bajek, buty **wielkoludów**

wielkomiejski zgiełk

Wielkopolska
granice **Wielkopolski**, w **Wielkopolsce**, miła **Wielkopolanka**, stary **Wielkopolanin**, województwo **wielkopolskie**

wierch
widok **wierchu**, **wierchy** Tatr, zdobywca **wierchów**

wiersz
recytacja **wiersza**, rymy w **wierszu**, **wiersze** poety, pisanie **wierszy**

wierszyk
autor **wierszyka**, wystąpił z **wierszykiem**, **wierszyki** długie jak szaliki, wybór **wierszyków**

wierzba
siedział pod **wierzbą**, listki na **wierzbie**, **wierzby** płaczące, krajobraz z **wierzbami**

Gruszka na wierzbie
ciągle płakała,
bo ortografii
wciąż nie umiała.

wierzch
leżał na **wierzchu**, **wierzchy** były kolorowe, malowanie **wierzchów**; jechać **wierzchem** (jechać na grzbiecie zwierzęcia, konno)

wierzchołek
widok **wierzchołka**, stanął na **wierzchołku**, **wierzchołki** skałek, panorama **wierzchołków** górskich

wierzyć
wierzę, wierzysz, wierz!, wierzył, wierzyli

wieś
koniec **wsi**, chata za **wsią**, małe **wsie**, chaty we **wsiach**

wiewiórka
ogon **wiewiórki**, lis z **wiewiórką**, dziupla **wiewiórek**, bajka o **wiewiórkach**

wieźć
wiozę, wieziesz, wieź!, wiózł, wieźli

wieża
spotkanie pod **wieżą**, stał na **wieży**, **wieże** kościołów, zegary na **wieżach**

więc wreszcie przyszedłeś

więcej nas do pieczenia chleba...

więzienie
bramy **więzienia**, przed **więzieniem**, cela w **więzieniu**, budynki **więzień**

więzy rodzinne, zerwanie **więzów**

Wigilia (dzień przed Bożym Narodzeniem)
ubrał choinkę w **Wigilię** rano, przed **Wigilią** świąt Bożego Narodzenia, kilka **Wigilii**

wigilia (dzień przed jakimś świętem) w przeddzień **wigilii**, w **wigilię** urodzin

wigilijny stół, **wigilijna** kolacja, **wigilijne** potrawy, **wigilijni** goście

wilczur
rasa **wilczura**, mówił o **wilczurze**, groźne **wilczury**, hodowla **wilczurów**

wilk
zęby **wilka**, ostrożnie z **wilkiem**, byli wygłodzeni jak **wilki**, wataha **wilków**

wiosna
dwa miesiące **wiosny**, lato po **wiośnie**, liczył sobie parę **wiosen**

wioślarz
drużyna **wioślarza**, został **wioślarzem**, **wioślarze** trenują, klub **wioślarzy**

wiór
stolarskie **wióry**, dużo **wiórów**, myszy w **wiórach**

Wyskoczyło stado szczurów
w kapeluszach
z dziwnych wiórów!

wiraż
wypadł z **wirażu**, dół przed **wirażem**, wszystkie **wiraże**, kilka **wiraży** lub **wirażów**

wirować
wiruję, wirujesz, wiruj!, wirował, wirowali

wirówka
przepuścił przez **wirówkę**, suszenie w **wirówce**, **wirówki** w pralkach, silniki w **wirówkach**

wiśnia
zjeść **wiśnię**, **wiśnie** w likierze, rwanie **wiśni** lub **wisien**, placek z **wiśniami**

witać
witam, witasz, witaj!, witał, witali

witraż
projekt **witrażu** lub **witraża**, pomieszczenie z **witrażem**, **witraże** w kościele, kolory **witraży** lub **witrażów**

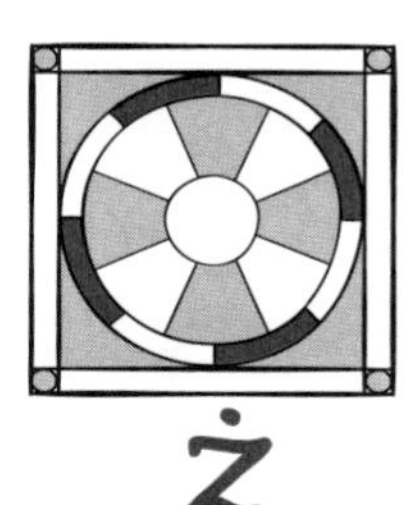

wizytówka
nazwisko na **wizytówce**, **wizytówki** prezesów, projekt **wizytówek**, notes z **wizytówkami**

wjechać
wjadę, wjedziesz, wjedź!, wjechał, wjechali

wjeżdżać
wjeżdżam, wjeżdżasz, wjeżdżaj!, wjeżdżał, wjeżdżali

wkleić
wkleję, wkleisz, wklej!, wkleił, wkleili

wklejać
wklejam, wklejasz, wklej!, wklejał, wklejali

wkładać
wkładam, wkładasz, wkładaj!, wkładał, wkładali

wkładka
buty z **wkładką**, we **wkładce** książki, kolorowe **wkładki**, para **wkładek**

wkoło domu biegał

w koło mówił to samo

wkrótce zapomni o wszystkim

Włochy
wczasy we **Włoszech**, granice **Włoch**, piękna **Włoszka**, miły **Włoch**, **włoski** makaron, **włoska** opera

włos
cebulka **włosa**, piosenka o siwym **włosie**, **włosy** kobiety, pielęgnowanie **włosów**

włożyć
włożę, włożysz, włóż!, włożył, włożyli

włóczęga
strawa **włóczęgi**, zaczepił **włóczęgę**, bezdomni **włóczędzy**, pomoc dla **włóczęgów**

Włóczył się włóczęga z kijem,
był więc włóczykijem.

włóczka
kłębek **włóczki**, supeł na **włóczce**, wyszywała **włóczką**, kolory **włóczek**

włóczyć się
włóczę się, włóczysz się, włócz się!, włóczył się, włóczyli się

włóczykij
kij **włóczykija**, pogawędka z **włóczykijem**, stare **włóczykije**, kilku **włóczykijów**

włókno
sztuczne **włókno**, z **włóknem**, **włókna** konopi, pasma **włókien**

wnętrze
we **wnętrzu** wieloryba, dekorator **wnętrz**, w średniowiecznych **wnętrzach**

wnuk
prezent dla **wnuka**, spacer z **wnukiem**, nasze **wnuki**, para **wnuków**

w ogóle i w szczególe

województwo
granice **województwa**, w całym **województwie**, kilka **województw**, władze w **województwach**

wojewódzki urząd, miasta **wojewódzkie**

wojna
koniec **wojny**, przed **wojną**, po **wojnie** wrócili do domów, przeciwnicy **wojen**

wokoło głowy krążyły myśli jak świerszcze

wozić
wożę, wozisz, woź lub wóź!, woził, wozili

wódz
rozkaz **wodza**, nasi **wodzowie**, narada **wodzów**

Chodzi wódz po dworze,
nosi złoto w worze.

wół
kupił **wołu**, krowa z **wołem**, wiersz o **wole**, dwa **woły**, wypasanie **wołów**

wór
zawartość **wora**, dziura w **worze**, **wory** ziemniaków, łatanie **worów**

wówczas zrozumiał, jak bardzo się mylił

wóz
koła **wozu**, pojechał **wozem**, cygańskie **wozy** kolorowe, sznur **wozów**

wózek
zakup **wózka**, dziecko w **wózku**, **wózki** dziecięce, wybór **wózków** dla lalek

Ó

wpatrzony jak w obrazek

w pobliżu stali koledzy

w poprzek drogi zatrzymał się z piskiem opon

w pół godziny przebiegł całe miasto

w prawo i w lewo patrzył nerwowo

wprost nie mógł wyjść ze zdziwienia

w przód i w tył

wracać
wracam, wracasz, wracaj!, wracał, wracali

wraz z przyjściem wiosny

wrażenie sprawiał smutne, nadmiar **wrażeń**

wrażliwy chłopiec, **wrażliwi** ludzie, **wrażliwszy** kotek niźli piesek

wrota
wołał u **wrót** zamku, stanął we **wrotach**

wróbel
lot **wróbla**, bajka o **wróblu**, strach na **wróble**, ćwierkanie **wróbli**

wrócić
wrócę, wrócisz, wróć!, wrócił, wrócili

wróg
ściganie **wroga**, jesteś moim **wrogiem**, nasi **wrogowie**, mam **wrogów**

wróżba
nie wierz **wróżbie**, czarny kot jest złą **wróżbą**, **wróżby** andrzejkowe, wieczór **wróżb**

wróżbiarz
szklana kula **wróżbiarza**, był **wróżbiarzem**, dwaj **wróżbiarze**, **wróżbiarzy** nikt zaufaniem nie darzy

wróżka
krasnoludki z **wróżką**, mówi o **wróżce**, dobre **wróżki**, bal wróżek, bajki o **wróżkach**

wróżyć
wróżę, wróżysz, wróż!, wróżył, wróżyli

wrzask
nie znoszę **wrzasku**, uciekał z **wrzaskiem**, dzikie **wrzaski**, unikaj **wrzasków**

wrzątek
szklanka **wrzątku**, oparzył się **wrzątkiem**

wrzesień
piąty dzień **września**, spotkanie we **wrześniu**, **wrześnie** ostatnich lat, temperatura **wrześniów** lub **wrześni**

wrześniowy dzień, **wrześniowa** pogoda, **wrześniowi** robotnicy

wrzos
bukiet **wrzosu**, leżał we **wrzosie**, **wrzosy** liliowe, bukiety **wrzosów**

Rz piszemy po spółgłoskach:
p, **b**, **t**, **d**, **k**, **g**, **ch**, **j**, **w**.

wrzosowiska
zające na **wrzosowisku**, **wrzosowiska** nadmorskie, połacie **wrzosowisk**, spacer po **wrzosowiskach**

wrzucić
wrzucę, wrzucisz, wrzuć!, wrzucił, wrzucili

wschód
do **wschodu** słońca, obserwowali **wschody**, pora **wschodów**, na **wschodzie** kraju

wsiąść
wsiądę, wsiądziesz, wsiądź!, wsiadł, wsiedli

wskazówka
szukał **wskazówki**, szedł za **wskazówką**, zapomniał o **wskazówce**, słuchał **wskazówek**

wskutek nieporozumienia

wspólnie rozpoczęli pracę w ogrodzie

współczesny pisarz, **współcześni** malarze

współczuć
współczuję, współczujesz, współczuj!, współczuł, współczuli

współpraca układa się dobrze

wstąpić
wstąpię, wstąpisz, wstąp!, wstąpił, wstąpili

wstążka
kolor **wstążki**, na **wstążce**, szukał **wstążek**, warkocze z **wstążkami**, napisy na **wstążkach**

wstęp
autor **wstępu**, liczne **wstępy**, zabrał się do jedzenia bez **wstępów**

wsuwać
wsuwam, wsuwasz, wsuwaj!, wsuwał, wsuwali

wsuwka
przytrzymywała włosy **wsuwką**, kolorowe **wsuwki**

wszerz i wzdłuż

wszędzie już był

„**Wśród** nocnej ciszy..."

w tył i w przód kiwał się krześle

wuj
lubię **wuja**, zabawy z **wujem**, **wujowie** mamy, kartki dla **wujów**

Wuj Józef mieszkał na wybrzeżu,
a rodzinę miał w Sandomierzu.

wulkan
krater **wulkanu**, taniec na **wulkanie** (o beztroskim zachowaniu mimo niebezpieczeństwa), **wulkany** na wyspach, wybuchy **wulkanów**

wybór
dokonaj **wyboru**, po **wyborze** samorządu, kolejne **wybory**, termin **wyborów**

wybrzeże
u samego **wybrzeża**, rozbitek marzył o **wybrzeżu**, u **wybrzeży** oceanu, mieszkania na **wybrzeżach**

wybuch
siła **wybuchu**, przed **wybuchem**, **wybuchy** bomb, huk **wybuchów**

wychodzić
wychodzę, wychodzisz, wychodź!, wychodził, wychodzili

wychowawca
polecenia **wychowawcy**, rozmowa z **wychowawcą**, pokój **wychowawców**, ukryli się przed **wychowawcami**

wychowywać
wychowuję, wychowujesz, wychowuj!, wychowywał, wychowywali

wychylać
wychylam, wychylasz, wychylaj!, wychylał, wychylali

wyciągnąć
wyciągnę, wyciągniesz, wyciągnij!, wyciągnął, wyciągnęli

wydarzenie
finał **wydarzenia**, brał udział w **wydarzeniu**, kilka **wydarzeń**, już po **wydarzeniach**

wydech
śpiewał na **wydechu**, **wydechy** i wdechy

wyglądać
wyglądam, wyglądasz, wyglądaj!, wyglądał, wyglądali

wyjazd
termin **wyjazdu**, przed **wyjazdem**, służbowe **wyjazdy**, powody **wyjazdów**

wyjąć
wyjmę, wyjmiesz, wyjmij!, wyjął, wyjęli

wyjątek
brak **wyjątku**, z **wyjątkiem**, **wyjątki** są dwa, przykłady **wyjątków**

Zielony królik wśród zwierzątek
stanowił cudaczny wyjątek.

wyjrzeć
wyjrzę, wyjrzysz, wyjrzyj!, wyjrzał, wyjrzeli

wyjście
wyjście ewakuacyjne, przed **wyjściem**, brak **wyjść**

wyjść
wyjdę, wyjdziesz, wyjdź!, wyszedł, wyszli

wykręt
używał **wykrętu**, posłużył się **wykrętem**, dziecinne **wykręty**, zbyt wiele **wykrętów**

wykrój
forma **wykroju**, gazeta z **wykrojem**, **wykroje** sukienek, użył **wykrojów**

wykrzyknik
brak **wykrzyknika**, po **wykrzykniku**, nadużywał **wykrzykników**; głośne **wykrzykniki**

Wszyscy się boją
wykrzyknika,
który awantur
nie unika.

wyliczanka
rymy w **wyliczance**, **wyliczanki** dziecięce, recytowanie **wyliczanek**, zabawa z **wyliczankami**

wyobraźnia romantyczna, widział oczyma **wyobraźni**

wyobrażenie innego świata, miał złe **wyobrażenia** o niej

wyposażenie
komplet **wyposażenia**, sklep z **wyposażeniem**, braki w **wyposażeniu**

wypożyczalnia
godziny otwarcia **wypożyczalni**, kolejka przed **wypożyczalnią**, **wypożyczalnie** sprzętu narciarskiego

wypróbować
wypróbuję, wypróbujesz, wypróbuj!, wypróbował, wypróbowali

wyraz
brak **wyrazu**, kłopot z **wyrazem**, dwa **wyrazy**, pisownia **wyrazów**

wyrobić
wyrobię, wyrobisz, wyrób!, wyrobił, wyrobili

wyrosnąć
wyrosnę, wyrośniesz, wyrośnij!, wyrósł, wyrośli

wyrób
próbka **wyrobu**, zarabiał na **wyrobie** kapci, **wyroby** jubilerskie, prezentacja **wyrobów** dziewiarskich

wyrównać
wyrównam, wyrównasz, wyrównaj!, wyrównał, wyrównali

wyróżnienie
przyznanie **wyróżnienia**, cieszył się **wyróżnieniem**, pięć **wyróżnień**, gratulacje po **wyróżnieniach**

Wyżeł otrzymał wyróżnienie,
bo zrobił na komisji wrażenie.

wyrzucać
wyrzucam, wyrzucasz, wyrzucaj!, wyrzucał, wyrzucali

wysoki mur, **wysokie** zarobki, **wysocy** mężczyźni, **wyższy** od ojca

wysoko sięgać, **wyżej** niż chmury, **najwyżej** skoczył

występować
występuję, występujesz, występuj!, występował, występowali

wystrój
projekt **wystroju**, kłopoty z **wystrojem** mieszkania, świąteczne **wystroje** sklepów, zmiana **wystrojów**

wystrzał
odgłos **wystrzału**, dymek po **wystrzale**, **wystrzały** z karabinu, huk **wystrzałów**

wyścig
przed **wyścigiem**, brał udział w **wyścigu**, rowerowe **wyścigi**, zwycięzca **wyścigów**

wywiadówka
termin **wywiadówki**, przed **wywiadówką**, mama na **wywiadówce**, na **wywiadówkach**

wyżej (zobacz: **wysoko**)
podnieście ręce

wyżeł
zakupił **wyżła**, spacer z **wyżłem**, dwa **wyżły**, odmiana **wyżłów**

wyższy (zobacz: **wysoko**)

wyżyna
mieszkali na **wyżynie**, widok z **wyżyn**

wyżywienie
hotel bez **wyżywienia**, kłopoty z **wyżywieniem**

wzdłuż rzeki

wzgórze
wierzchołek **wzgórza**, domek za **wzgórzem**, zieleń **wzgórz**, drzewa na **wzgórzach**

wziąć
wezmę, weźmiesz, weź!, wziął, wzięli

wzór
nie mam **wzoru**, był **wzorem** dla innych; **wzory** geometryczne, nie znał **wzorów** matematycznych

Na wzór konika
skakał niedźwiadek,
lecz co nowy skok
to znów upadek.

wzruszyć się
wzruszę się, wzruszysz się,
wzrusz się!, wzruszył się,
wzruszyli się
wzwyż skoki

Z

zabawa
koniec **zabawy**, pójdziemy na **zabawę**, plac **zabaw**, bywał na **zabawach**

zabawka
pokaż **zabawkę**, **zabawki** mechaniczne, pudełko **zabawek**, sklep z **zabawkami**

za blisko stanął, mógł przecież spaść

zabłądzić
zabłądzę, zabłądzisz, zabłądź!, zabłądził, zabłądzili

zabłysnąć
zabłysnę, zabłyśniesz, zabłyśnij!, zabłysnął, zabłysnęli

zaburzenie mowy, **zaburzenia** atmosferyczne, formy **zaburzeń**

zachęta
czekał na słowa **zachęty**, powiedział z **zachętą** w głosie

Nie potrzebował słów zachęty,
zawsze był szczerze uśmiechnięty.

zachmurzyć (się)
zachmurzę, zachmurzysz, zachmurz!, zachmurzył, zachmurzyli

zachorować
zachoruję, zachorujesz, zachoruj!, zachorował, zachorowali

zachód
pora **zachodu**, **zachody** słońca, w czasie **zachodów** i wschodów; osadnicy na Dzikim **Zachodzie**

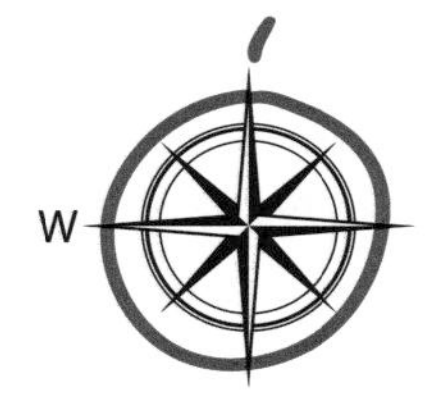

zachwyt
piał z **zachwytu**, trwał w **zachwycie**, młodzieńcze **zachwyty**, okrzyki **zachwytów**

za ciasny okazał się zeszłoroczny płaszczyk

za ciężki plecak dla tak chudego młodzieńca

zacząć
zacznę, zaczniesz, zacznij!, zaczął, zaczęli

zaczynać
zaczynam, zaczynasz, zaczynaj!, zaczynał, zaczynali

za daleko od domu chował swoje skarby

Zaduszki
Dzień Zaduszny, czyli **Zaduszki**, podczas **Zaduszek**

za dużo mówił i nikt go już nie słuchał

zagadka
rozwiązanie **zagadki**, wierszyk z **zagadką**, zadawanie **zagadek**, kramik z **zagadkami**

zagorzały kibic koszykówki, **zagorzali** wyznawcy, **zagorzalszy** niż Maciek

zagranica (kraje leżące poza granicami) przybył z **zagranicy**, stosunki z **zagranicą**

za granicą przebywał kilka lat, **za granicę** wyjechał

zagroda
stał przed **zagrodą**, mieszkali w **zagrodzie**, chłopskie **zagrody**, kilka **zagród** wiejskich

zagrożenie
moment **zagrożenia**, byli w ciągłym **zagrożeniu**, unikali **zagrożeń**, zapomnieli o **zagrożeniach**

zagrzać
zagrzeję, zagrzejesz, zagrzej!, zagrzał, zagrzali

zagrzewać
zagrzewam, zagrzewasz, zagrzewaj!, zagrzewał, zagrzewali

zagrzmieć
zagrzmi, zagrzmią, zagrzmiało

zahaczyć
zahaczę, zahaczysz, zahacz!, zahaczył, zahaczyli

zahamować
zahamuję, zahamujesz, zahamuj!, zahamował, zahamowali

zaiskrzyć się
zaiskrzy się, zaiskrzą się, zaiskrzyło się

zajazd
nazwa **zajazdu**, zatrzymali się w **zajeździe**, **zajazdy** przydrożne, goście **zajazdów**

zając
pasztet z **zająca**, gonitwa za **zającem**, **zające** na łące, uszy **zajęcy**

zajączek
dostał marcepanowego **zajączka**, kicanie **zajączków**; puszczał **zajączki** dla zabawy

zająć
zajmę, zajmiesz, zajmij!, zajął, zajęli

zajrzeć
zajrzę, zajrzysz, zajrzyj!, zajrzał, zajrzeli

zakaz
brak **zakazu**, stanął przed **zakazem**, **zakazy** wjazdów, kilka **zakazów**

zakazać
zakażę, zakażesz, zakaż!, zakazał, zakazali

za każdym razem wracał zapłakany

zakażenie
uniknąć **zakażenia**, szczepionka przeciwko **zakażeniu**, rana z **zakażeniem**, leczenie **zakażeń**

zakątek
urok **zakątka**, w ustronnym **zakątku**, urocze **zakątki**, odwiedzanie ulubionych **zakątków**

zaklęcie
moc **zaklęcia**, zapomniał o **zaklęciu**, magia **zaklęć**, cuda po **zaklęciach**

Czarodziej dziwnymi zaklęciami wyrównał rachunki ze zbójami.

zakład
kierownik **zakładu**, kontrola w **zakładzie**; **zakłady** na wyścigach, stawki **zakładów**

zakładka
kolory **zakładki**, książka z **zakładką**, rysunek na **zakładce**, kolory **zakładek**

zakłócenie ruchu, **zakłócenia** na łączach

zakochać się
zakocham się, zakochasz się, zakochaj się!, zakochał się, zakochali się

zakończyć
zakończę, zakończysz, zakończ!, zakończył, zakończyli

zakres
poza **zakresem** obowiązków, w niewielkim **zakresie**; dwa **zakresy** częstotliwości, kilka **zakresów**

zakręt
spotkali się za **zakrętem**, samochód na **zakręcie**, ostre **zakręty**, bez **zakrętów**
za krótko trwają wakacje
zakupy
koniec **zakupów**, koszyk na **zakupy**, kłopot z **zakupami**, byli na **zakupach**
załatwiać
załatwiam, załatwiasz, załatwiaj!, załatwiał, załatwiali
załoga
należał do **załogi**, wraz z **załogą**, był w **załodze** czołgu, zadanie dla **załóg**
założenie było fałszywe, błędne **założenia**, kilka **założeń**
założyć
założę, założysz, załóż!, założył, założyli

Załoga założyła spółkę
i dba teraz o swoją półkę.

zamach
ofiara **zamachu**, przed **zamachem**, **zamachy** terrorystyczne, skutki **zamachów**
zamarznąć
zamarznę, zamarzniesz, zamarznij!, zamarzł lub zamarznął, zamarzli

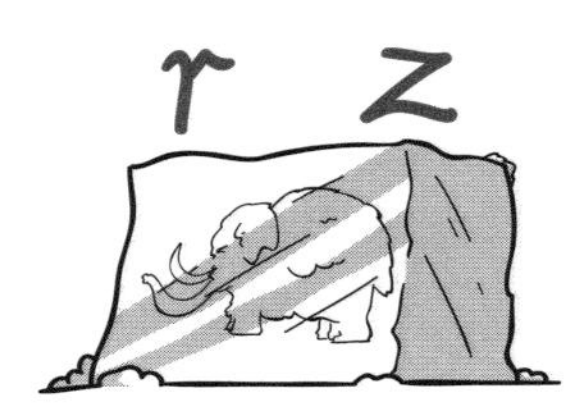

zamążpójście panienki wzbudziło wiele sensacji
zamek
mieszkańcy **zamku**, **zamki** średniowieczne; naprawa **zamków**, kłopot z **zamkiem**,
zamężna kobieta
zamiast się uczyć, wolał się włóczyć
zamożny kupiec, **zamożni** ludzie, **zamożniejszy** niż większość obywateli
zamówić
zamówię, zamówisz, zamów!, zamówił, zamówili

zamrażarka
lodówka z **zamrażarką**, zapasy w **zamrażarce**, ogromne **zamrażarki**, wybór **zamrażarek**

zamrozić
zamrożę, zamrozisz, zamroź!, zamroził, zamrozili

zamykać
zamykam, zamykasz, zamykaj!, zamknął, zamknęli

Taką otrzymał wskazówkę:
„Zamknij drzwi na zasuwkę!”.

za nic w świecie lepszego słowniczka nie znajdziecie

zanim zamkniesz drzwi, powiedz „do widzenia”

za nisko leciał samolocikiem

zanurzyć
zanurzę, zanurzysz, zanurz!, zanurzył, zanurzyli

zaopatrzenie supermarketów

zaostrzyć
zaostrzę, zaostrzysz, zaostrz!, zaostrzył, zaostrzyli

zapach
nie czuł **zapachu**, szedł za **zapachem**, wspaniałe **zapachy**, smużki **zapachów**

zapachnieć
zapachnie, zapachną, zapachniał, zapachniały

zaparzyć
zaparzę, zaparzysz, zaparz!, zaparzył, zaparzyli

za późno podniósł słuchawkę telefonu

za prędko szedł i bardzo był zgrzany

zaprzęg
wóz z **zaprzęgiem**, konie w **zaprzęgu**, **zaprzęgi** psie, wyścigi **zaprzęgów**

zaprzyjaźniony nauczyciel tańca, **zaprzyjaźnieni** sąsiedzi

zaraz to zrobię, za momencik

zarozumiały chłopiec, **zarozumiali** panowie, **zarozumialszy** po każdym zwycięstwie

zarówno ciebie, jak i mnie dotyczy ta sprawa

zarzut
odparcie **zarzutu**, wystąpił z **zarzutem**, mocne **zarzuty**, odpieranie **zarzutów**

zasadzka
plan **zasadzki**, wpaść w **zasadzkę**, po **zasadzce**, tysiące **zasadzek**

zastrzeżenie
czyjeś **zastrzeżenia**, mam kilka **zastrzeżeń**
zastrzyk
strach przed **zastrzykiem**, masaż po **zastrzyku**, **zastrzyki** w ampułkach, nie lubił **zastrzyków**
zasuwka
zamknął na **zasuwkę**, pokrętło w **zasuwce**, **zasuwki** w szafkach, kilka **zasuwek**
zaśnieżone drogi, **zaśnieżeni** wrócili ze spaceru
zatem nikt się o tym nie dowie?
zatrzask
drzwi z **zatrzaskiem**, zapomniał o **zatrzasku**; **zatrzaski** w kurtce, rozrywanie **zatrzasków**
zatrzasnąć
zatrzasnę, zatrzaśniesz, zatrzaśnij!, zatrzasnął zatrzasnęli
za tym, który tam stoi
zauważać
zauważam, zauważasz, zauważaj!, zauważał, zauważali
zauważyć
zauważę, zauważysz, zauważ!, zauważył, zauważyli
zawczasu kupił bilet miesięczny
za wcześnie wyszedł z kina
zawód
nauka **zawodu**, pracował w **zawodzie**; **zawody** w pływaniu, termin **zawodów**
zawrót
bez **zawrotu**, **zawroty** głowy
zawsze taki sam problem z ortografią
zazdrość
uczucie **zazdrości**, patrzył na nich z **zazdrością**
zażartować
zażartuję, zażartujesz, zażartuj!, zażartował, zażartowali
zażywać
zażywam, zażywasz, zażywaj!, zażywał, zażywali
ząb
ból **zęba**, plomba w **zębie**, zdrowe **zęby**, leczenie **zębów**

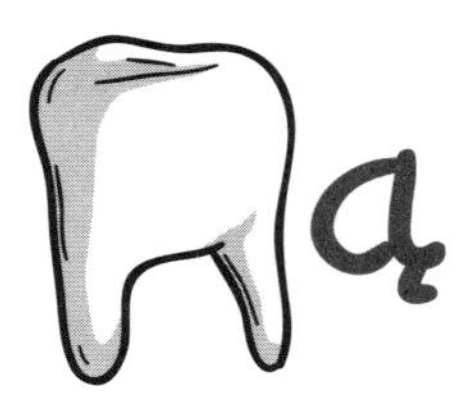

ząbek
kłopot z **ząbkiem**, pierwsze **ząbki**, mycie **ząbków**; **ząbek** czosnku

zbić
zbiję, zbijesz, zbij!, zbił, zbili
zbiór
elementy **zbioru**, w **zbiorze** praw, **zbiory** archeologiczne, efekt **zbiorów**
zbiórka
harcerz przed **zbiórką**, uczestniczył w **zbiórce**, **zbiórki** makulatury, terminy **zbiórek**
zboże
wór **zboża**, worek ze **zbożem**, ukryli się w **zbożu**, łany **zbóż**

zbój
maczuga **zbója**, był okrutnym **zbójem**, dwaj **zbóje**, banda **zbójów**
zbójnik
legenda **zbójnika**, taniec ze **zbójnikiem**, **zbójnicy** w piwnicy, jaskinia **zbójników**
z czasem przestał być bobasem
z daleka i bliska jadą na igrzyska
zdarzenie
uczestniczył w **zdarzeniu**, dziwne **zdarzenia**, efekt **zdarzeń**, po kilku złych **zdarzeniach**
zderzenie
niebezpieczne **zderzenia**, unikali **zderzeń**
zdjąć
zdejmę, zdejmiesz, zdejmij!, zdjął, zdjęli
zdmuchnąć
zdmuchnę, zdmuchniesz, zdmuchnij!, zdmuchnął, zdmuchnęli
zdrowo się odżywiali, żyli **zdrowiej**
zdroworozsądkowy argument, **zdroworozsądkowe** myślenie
zdrowy wygląd, **zdrowe** społeczeństwo; **zdrowi** ludzie, **zdrowszy** niż wczoraj, bywaj **zdrów**!
zdrój
woda ze **zdroju**, stanęli przed **zdrojem**, wczasy w Świeradowie-**Zdroju**, przybył do **zdrojów**
zdróweczko
szanowanie **zdróweczka**, jak tam **zdróweczko**?

zdrzemnąć się
zdrzemnę się, zdrzemniesz się, zdrzemnij się!, zdrzemnął się, zdrzemnęli się

zegar
nastawianie **zegara**, godzina na **zegarze**, **zegary** wieżowe, kolekcjoner **zegarów**

zegarmistrz
praca **zegarmistrza**, spotkanie z **zegarmistrzem**, **zegarmistrze** lub **zegarmistrzowie** krakowscy, zakłady **zegarmistrzów**

Zegarmistrz pełen niepokoju
nastawił zegar dla spokoju.

zejść
zejdę, zejdziesz, zejdź!, zszedł, zeszli

zespół
szef **zespołu**, wyjazdy z **zespołem** wokalnym, **zespoły** folklorystyczne, występy **zespołów**

zeszłoroczny śnieg

zetrzeć
zetrę, zetrzesz, zetrzyj!, starł, starli

zewnętrzny wygląd, objawy **zewnętrzne**

ze złości pobladł

zgaduj-zgadula, kto potrafi, ten hula!

zgiąć
zegnę, zegniesz, zegnij!, zgiął, zgięli

zgrzyt
dźwięk **zgrzytu**, otwierał ze **zgrzytem**; **zgrzyty** pomiędzy kolegami, bez **zgrzytów**, proszę!

zgubić
zgubię, zgubisz, zgub!, zgubił, zgubili

Ziemia (planeta)
obroty dookoła **Ziemi**, łączność z **Ziemią**, miła **Ziemianka**, mądry **Ziemianin**, **ziemskie** istoty, **ziemski** wynalazek

ziemia (powierzchnia lądu; to, po czym się chodzi)
samolot oderwał się od **ziemi**, mieszkał pod **ziemią**, nasze **ziemie**, wiele **ziem**

ziółko
zaparzał **ziółka**, napar z **ziółek**, leczył się **ziółkami**, zapomniał o **ziółkach**

zjazd
organizacja **zjazdu**, wystąpił na **zjeździe**, **zjazdy** rodzinne, terminy **zjazdów**
zjeść
zjem, zjesz, zjedz!, zjadł, zjedli
zł (czytaj: **złoty**)
2 **zł** – dwa **złote**, 5 tys. **zł** – pięć tysięcy **złotych**
złotówka
na rewersie **złotówki**, pożycz **złotówkę**, ze **złotówką** w kieszeni, garść **złotówek**

Była tylko małą złotówką,
a myślała, że jest stówką.

zmierzch
pora **zmierzchu**, wrócił przed **zmierzchem**, **zmierzchy** i świty, czas **zmierzchów**
znad stołu wystawały małe rączki i czubek główki
z nagła odezwał się ludzkim głosem
z naprzeciwka jechał samochód
zniszczyć
zniszczę, zniszczysz, zniszcz!, zniszczył, zniszczyli
znowu pada deszcz
z oddali doszedł go odgłos wystrzału
zoologiczny sklep, ekspedycja **zoologiczna** do Malezji
zorza
podczas **zorzy**, światło **zórz** polarnych
z przeciwka jechał dziwny pojazd
zrobić
zrobię, zrobisz, zrób!, zrobił, zrobili
zrozumieć
zrozumiem, zrozumiesz, zrozum!, zrozumiał, zrozumieli
zuch
stopień **zucha**, został **zuchem**, małe **zuchy**, drużyna **zuchów**

Zuch zrozumiał swój błąd,
przeprosił i ruszył stąd.

zupa
obiad z **zupą**, marchewka w **zupie**, gotowanie **zup**, jarzyny w **zupach**

z uporem powtarzał wciąż te
same anegdoty

zwierz

polowanie na **zwierza**, skóra na **zwierzu**, kryjówki **zwierzów**

zwierzątko

kotek jest **zwierzątkiem**, małe **zwierzątka**, kolekcja **zwierzątek**, były zwinnymi **zwierzątkami**

zwierzę

leczenie **zwierzęcia**, lew jest dzikim **zwierzęciem**, wolne **zwierzęta**, hodowla domowych **zwierząt**

zwój

pod **zwojem** sznura, tkaniny w **zwoju**, **zwoje** papieru, kilka **zwojów** drutu

zwyciężać

zwyciężam, zwyciężasz, zwyciężaj!, zwyciężał, zwyciężali

zwyciężyć

zwyciężę, zwyciężysz, zwycięż!, zwyciężył, zwyciężyli

Ź

ździebełko

ze **ździebełkiem**, **ździebełka** trawy; dała mu **ździebełko** masła (trochę)

źdźbło

pszczółka na **źdźble**, kilka **źdźbeł**; nawet **źdźbła** prawdy nie powiedział

Pszczółka na źdźble
zboża siedziała
i na źrebaczka
spoglądała.

źle się działo, **gorzej** niż zwykle

źrebaczek

mama **źrebaczka**, spacer ze **źrebaczkiem**, dwa **źrebaczki**, pielęgnowanie **źrebaczków**

źrebiątko

pysk **źrebiątka**, harce **źrebiątek**

źrenica

kolor **źrenicy**, zwężenie **źrenic**

źródełko

źródełka górskie, nie ma już czystych **źródełek**

źródło

przychodzili do **źródła**, stanęli przy **źródle**, odkrycie **źródeł**, kurort ze zdrowotnymi **źródłami**

Ż

żaba
gatunek **żaby**, królewna przemieniona w **żabę**, **żaby** kumkają, staw pełen **żab**

żabka
ropucha z **żabką**, skórka na **żabce**, **żabki** skakały, skoki **żabek**

Na tak wytwornym
bankiecie
nie spotkasz żabki
w żakiecie.

żaden pies, **żadna** kotka, **żadne** zwierzę

żagiel
zwijanie **żagla**, napis na **żaglu**, **żagle** jachtu, łopotanie **żagli**

żaglówka
właściciel **żaglówki**, pływali na **żaglówce**, załogi **żaglówek**, przystań z **żaglówkami**

żakiet
fason **żakietu**, plama na **żakiecie**, **żakiety** w kwiaty, rękawy **żakietów**

żal
uczucie **żalu**, odchodził z **żalem**, wielkie **żale**, nadszedł czas **żalów**

żar
utrzymywanie **żaru** w piecu, nie zapomnij o **żarze**!; modlił się z **żarem**

żarcik
wieczór bez **żarciku**, posłużył się **żarcikiem**, **żarciki** uczniowskie, znał mnóstwo **żarcików**

żarłok
okrąglutki **żarłok**, obiad z **żarłokiem**, **żarłoki** w barach, biesiada **żarłoków**

żaroodporne naczynie

żart
nie znał tego **żartu**, **żarty** dzieci, śmiali się z **żartów**, nie znał się na **żartach**

żartować
żartuję, żartujesz, żartuj!, żartował, żartowali

żądać
żądam, żądasz, żądaj!, żądał, żądali
żądanie
zwrócił się z **żądaniem** spłaty pożyczki, twoje **żądania** są wygórowane, lista **żądań**
żądło
kłuć **żądłem**, ranka po **żądle**, ukłucia **żądeł**, pszczelimi **żądłami**

że też nigdy nie wiesz, o co chodzi
żeberko
dwa **żeberka**, kilka **żeberek**, sos na **żeberkach**
żeby kózka nie skakała, toby nóżki nie złamała!
żeglarz
statek **żeglarza**, podróż z **żeglarzem**, **żeglarze** na żaglówce, piosenki o **żeglarzach**
żegnać
żegnam, żegnasz, żegnaj!, żegnał, żegnali
żelazko
włączenie **żelazka**, prasował **żelazkiem**, wybór **żelazek**, sklep z **żelazkami**
żelazo
skup **żelaza**, miedź z **żelazem**
żeński oddział, szkoła **żeńska**, chóry **żeńskie**
żmija
gatunek **żmii**, uciekał przed **żmiją**, **żmije** pustynne, kłębowisko **żmij**
żniwa
okres **żniw**, już po **żniwach**
żniwiarz
obiad **żniwiarza**, żniwiarka ze **żniwiarzem**, **żniwiarze** pracują w polu, przerwa **żniwiarzy**
żołądek
ból **żołądka**, obiad w **żołądku**, małe **żołądki**, choroby **żołądków**
żołnierz
stopień **żołnierza**, rozmowa z **żołnierzem**, **żołnierze** marynarki, pieśń o **żołnierzach**
żona
dobra **żona** i matka, została jego **żoną**, spotkanie **żon**

żółtko
kolor **żółtka**, kogel-mogel z **żółtkiem**, kilka **żółtek**, ciasto na samych **żółtkach**

żółty kolor, **żółci** jak słońce

żółw
skorupa **żółwia**, wyścigi z **żółwiem**, **żółwie** w basenie, marzyli o **żółwiach**

żubr
broda **żubra**, panie **żubrze**, **żubry** w Białowieży, ochrona **żubrów**

Chodzi, chodzi żubr po lesie,
dla żubrzycy żurek niesie.

żuk
pancerz **żuka**, biedronka z **żukiem**, **żuki** na łące, sznureczek **żuków**

żurawina
owad na **żurawinie**, kisiel z **żurawin**, zbierać **żurawiny**

żurek
talerz **żurku**, obiad z **żurkiem**, **żurki** z jajeczkiem, amatorzy **żurków**

żwir
droga ze **żwiru**, alejka wysypana **żwirem**, upadł na **żwirze**, **żwiry** i kamienie

życie
linia **życia**, przeszedł przez **życie**, cieszył się **życiem**, nigdy w **życiu**

życzenie
to już ostatnie **życzenie**, złożył **życzenia**, otrzymywanie **życzeń**, serdeczności w **życzeniach**

Słoń chciał złożyć życzenia żyrafie,
ale powiedział: „Ja nie potrafię!”.

życzyć
życzę, życzysz, życz!, życzył, życzyli

żyć
żyję, żyjesz, żyj!, żył, żyli

Żyd
jarmułka **Żyda**, są **Żydami**, religia **Żydów**, **Żydówka** Rachela, naród **żydowski**, **żydowskie** pieśni

żyrafa

szyja **żyrafy**, żyrafiątko z **żyrafą**,
chód **żyraf**, zdjęcie z **żyrafami**

żywy człowiek, **żywi** jak nigdy
dotąd, **żywszy** źrebaczek